Matou
WATSON
LA BROSSE À DENTS DU FUTUR

D1176756

**Des histoires où
(presque) tout est possible**

Illustrations de couverture et intérieures : Claudine Aubrun

ISBN : 978-2-74-852717-9
© 2020 Éditions SYROS, Sejer,
92, avenue de France, 75013 Paris

Loi n° 49-956 du 16 juillet 1949 sur les publications destinées
à la jeunesse, modifiée par la loi n° 2011-525 du 17 mai 2011

Mise en pages : DV Arts Graphiques à La Rochelle
Dépôt légal : mai 2020

Claudine Aubrun

Matou WATSON
LA BROSSE À DENTS DU FUTUR

SYROS

À Elliot, si petit, si présent.
Affectueusement.

1

SURPRISE !

Matou Watson a débarqué dans notre vie le jour
où j'ai raté le car de ramassage devant l'école.
C'était un vendredi, il pleuvait des cordes grosses
comme le bras. Maman était venue me récupérer
à l'arrêt du bus. Dans la voiture, elle s'est tout de
suite mise à râler :

— Paulo, un jour, tu oublieras ta tête. Franchement,
tu pourrais faire un peu attention, j'ai dix mille choses
à régler d'ici ce soir.

J'ai aussitôt pensé qu'il était inutile de lui avouer la raison de mon retard. J'avais admiré de loin et pendant un long moment Linette Lavallon, la plus jolie fille de la classe, et je m'étais promis de lui écrire une magnifique poésie.

Certain que Mamoune ne comprend presque rien aux choses de l'amour, j'ai préféré me taire. Dès que nous sommes arrivés à la maison, elle a foncé dans la cuisine, a épluché quelques endives, fait bouillir de l'eau, puis s'est assise à son ordi posé sur la grande table pour terminer un article qu'elle devait rendre le lendemain. Ses doigts se sont mis à pianoter sur le clavier à une vitesse folle. Maman est journaliste et travaille beaucoup de la maison. Installé à côté d'elle, j'ai décidé de me faire discret. J'ai commencé par suçoter mon crayon avant de me lancer dans la plus belle des poésies. Finalement, ce n'était pas si dur que ça. Sans presque une rature, d'une écriture élégante, j'ai rédigé mes premiers mots d'amour :

Linette, tu es très chouette,

J'adore tes jolies couettes

Plus je lisais et relisais ces deux vers, plus je les aimais. J'admirais encore le résultat quand papa est arrivé. Le regard énigmatique, les cheveux mouillés à cause de la pluie, il portait un petit carton. Maman, l'air mystérieux de Papounet, ça l'a tout de suite alertée. Elle a immédiatement arrêté de tapoter sur le clavier de l'ordi.

— Qu'est-ce que tu tiens, Romuald ? a-t-elle demandé.

Oui, papa s'appelle Romuald. Romuald Durand.

— Viens voir, a-t-il juste répondu.

Après avoir écarté les épluchures d'endives et les dossiers, il a posé le carton sur la table. Maman l'a ouvert et a aussitôt changé de tête.

— Mais qu'est-ce que c'est que ça ? Tu l'as trouvé où ?

— Derrière l'usine, dans la décharge, au milieu du matériel que l'entreprise jette... Il a un peu pris la pluie, mais il a l'air en bon état.

— Pourquoi l'as-tu amené ici ?

— Pourquoi pas, Milou✳ ? Tu ne le trouves pas... intéressant ?

Une lumière venait de s'allumer dans le cerveau de maman. Elle se méfiait, ça se voyait. La voix pleine de reproches, elle a lâché :

— Romuald, ne me dis pas que tu veux qu'on le garde ?

✳ Milou, c'est le surnom de maman. En vrai, elle s'appelle Milène, mais papa l'a surnommée Milou à cause de ses cheveux frisés et blonds, presque blancs : il trouve qu'elle ressemble au chien de Tintin.

Papa n'a pas répondu tout de suite. Il fixait le contenu du carton. Un sourire flottait sur ses lèvres. Mais de quoi parlaient-ils ? D'un vieil ordinateur dont son entreprise s'était débarrassée ? D'une imprimante collector ? D'un dossier top secret super intéressant ? Du prototype d'une machine qui allait révolutionner notre vie et celle de milliards de gens, comme celle que papa souhaiterait inventer alors qu'il doit se contenter d'être un simple comptable ?

Alors là, j'étais complètement à côté de la plaque ! Quand je me suis approché, j'ai découvert, au fond du carton, un chat au pelage sombre et au regard clair. Le pauvre matou était trempé. Droit dans les yeux, pas du tout effarouché, il nous dévisageait, l'air de penser : « Alors, vous attendez quoi pour me sortir de là ? C'est pour aujourd'hui ou pour demain ? »

— Viens par ici, je vais te sécher ! me suis-je exclamé en tendant mes mains vers lui.

Mais avant que je l'extirpe du carton, maman a lancé :

— Stop, les garçons ! Paulo, Romuald, il est hors de question qu'on le prenne chez nous ! On en a déjà parlé, je ne veux pas d'animaux à la maison.

— Mais Milou, regarde comme il est craquant ! Ce n'est qu'un chat, un tout petit chat ! Le pauvre était abandonné dans la décharge, a plaidé papa. Je l'ai trouvé tapi dans une poubelle. Il essayait de se protéger de la pluie comme il pouvait.

— Mouais ! Et qui va s'en occuper ? Certainement pas Paulo ! Il oublie tout, même son cartable, même de prendre le car ! Quant à Victoire, c'est un nombril sur pattes. À part sa petite personne, ces temps-ci, rien n'existe ! Résultat : sur qui va reposer la vie de cet animal ? Je te le demande, Romuald !

Mon père a bien vu qu'il allait avoir beaucoup de mal à introduire un nouveau membre dans la famille Durand. J'ai tenté de l'aider :

— Mais maman, un chat, ça vit sa vie. Il sort tout seul, pas besoin de le promener. Il suffit de lui trouver un petit coin dans la maison et je m'occuperai de lui. Promis, juré !

Maman a soupiré. Fallait la comprendre, après l'épisode du car de ramassage, elle doutait de mon engagement. Par contre, dans le carton, le chat semblait approuver. Il s'est dressé sur ses pattes arrière, prêt à sauter dans mes bras. Mamoune n'a pas lâché l'affaire.

— Et qui va remplir la gamelle d'eau, acheter les croquettes, changer la litière dès qu'elle sera mouillée et pleine de crottes ?

— Mais Milou, ce chat doit être dégourdi ! S'il a survécu dans la décharge, c'est qu'il sait chasser.

Et les souris, ce n'est pas ce qui manque ici. Elles font un bruit de tous les diables. Tu le dis toi-même !

Maman a écouté papa mais n'a pas renoncé. L'air buté, d'une voix ferme, elle a annoncé :

– Romuald Durand ✻, je ne te le répèterai pas, je ne veux pas de ce chat ici, même si c'est le plus grand chasseur de souris du vingt-et-unième siècle ! Ramène-le où tu l'as trouvé !

Un silence s'est installé entre nous. Enfin... un silence rempli de la musique qui s'échappait de la chambre de Victoire, une musique faite de cris stridents et dont les basses faisaient vibrer le plafond. Finalement, Papounet a pris sa toute petite voix pour dire :

– Je ne peux pas retourner à l'usine à cette heure-ci... Et puis nous allons manger. Les endives sont cuites.

✻ Quand maman appelle papa par ses prénom et nom, c'est que l'heure est vraiment grave.

Maman a compris que pour ce soir, c'était mort et archi mort.

— ... D'accord pour cette nuit, Romuald Durand, a-t-elle conclu en se détournant du carton. Mais dès demain matin, tu embarques cet animal et tu le remets là où il était. Paulo, trouve une bassine et tapisse-la de papier journal. Pour une nuit, ça ira comme litière. Et maintenant, à table ! Appelle ta sœur !

2

UN CHASSEUR SACHANT CHASSER

Le lendemain matin, Victoire a été la première à découvrir l'horreur qui nous attendait dans la cuisine.

— Au secours, c'est dégueu ! a-t-elle hurlé en soulevant sa frange pour bien voir l'étendue du drame. Faites quelque chose !

Affolés, nous avons rappliqué. Papa, maman et moi, les bras ballants, sommes restés sans voix. Sur le sol, pile devant l'évier, dix-huit cadavres de souris étaient alignés sur deux rangées. Le tableau de chasse était sinistre, mais aussi une excellente nouvelle, me suis-je dit. Ce chat était un méga dératiseur, un serial killer de la souris, un professionnel qui avait de la méthode. À mon avis, il allait vite devenir indispensable au bien-être de la famille Durand.

De son côté, calme et efficace, papa a enfilé des gants roses qui servent pour la vaisselle et a déposé les cadavres un à un dans un sac poubelle. Comme l'assassin, qui n'était plus dans sa bassine tapissée de papier journal, mais vautré sur le canapé parmi les coussins, Papounet a eu la victoire modeste. Il a juste dit à maman :

— Milou, cet animal est l'homme de la situation. Tu te rends compte, si on le garde quelques jours de plus, il va nous débarrasser de tous les rongeurs !

Maman ne disait rien, elle était encore sous le choc de la découverte. Pile à ce moment, nous avons entendu un bruit de souris qui détalait dans notre faux plafond. Aussitôt, le sourcil droit de Mamoune s'est dressé, signe qu'elle réfléchissait. Elle devait commencer à se dire que le chat pouvait lui éviter de retrouver ses magazines et coupures de presse grignotés par une armée de petits mammifères voraces. Sans attendre le résultat de ses hésitations, j'ai proposé mes services. Je l'ai implorée.

— Maman que j'aime et que j'adore, je te promets de m'occuper de ce chat. Dis oui, dis oui, s'il te plaît...

Maman m'a regardé d'un air hésitant. Puis elle a tranché :

— D'accord, mais à une condition, Paulo. Tu t'occupes de lui. Tu changes sa litière quand c'est nécessaire et tu veilles à ce qu'il ait à boire et à manger. Dans quinze jours, on fait un bilan de la situation. S'il est négatif, zou ! Le chat repart d'où il vient. OK ?

Trop content, j'ai craché, juré, tout promis. De son côté, un sourire sur les lèvres, papa a annoncé qu'il achèterait tout ce qu'il fallait en rentrant du bureau. Quant à Victoire, elle s'est laissée tomber sur sa chaise, face à son bol. En attendant que ses céréales Maxi Chocopeps gonflent, à travers la frange qui cachait ses yeux, elle a jeté un coup d'œil à notre nouveau locataire et a dit :

— C'est super cool d'avoir un chat à la maison. J'en rêvais depuis longtemps.

Puis, après avoir enfourné une cuillerée, elle a marmonné :

— Mais vous ne trouvez pas qu'il est un peu zarbi ? Il a un drôle d'air, non ?

3
CHER JEAN-MIMI

Après les départs de Victoire pour son collège et de papa pour son bureau, il me restait quelques minutes avant le passage du car de ramassage, juste le temps de rester un peu seul avec notre nouvel ami. Tandis que maman téléphonait à son chef, j'ai rempli un bol d'eau et l'ai déposé devant le canapé. Puis, sur un ton tout gentil, tout doux, j'ai dit au chat :

— Promis, je vais m'occuper de toi. Tu as soif ? Tiens, c'est pour toi. Tu es content de rester avec nous ?

Évidemment, il ne m'a pas répondu, il n'a même pas miaulé. Par contre, j'ai eu l'impression qu'il avait haussé les épaules, un peu comme s'il était agacé ou me trouvait stupide. N'importe quoi, ai-je pensé. C'est complètement idiot. Aucun animal ne hausse les épaules en signe d'agacement. Mais en le regardant de plus près, j'ai repensé à la remarque de Victoire. Ce matou n'avait pas tout à fait les attitudes d'un chat ordinaire. Affalé parmi les coussins, d'une de ses pattes avant, il semblait tapoter le siège, un peu comme quand le maître, énervé, pianote sur son bureau et qu'il attend que je réponde à sa question alors que je n'ai pas appris la leçon. Il semblait... s'impatienter. De mon côté, j'aurais aimé rester avec lui. Je lui ai dit :

— Alors, comment va-t-on t'appeler ? Que dirais-tu de Jean-Michel, comme papy ?

Le chat a froncé son museau, a levé les yeux au ciel et a soupiré. Oui, oui, je vous jure que c'est vrai. En réponse à ma proposition, il a même soufflé tout l'air de ses poumons. J'ai fait un nouvel essai.

– Ou alors, Jean-Mimi ? C'est bien, ça ? Qu'en penses-tu ?

Il me toisait, l'air de dire « Ça va pas, non, tu m'as vu ? J'ai une tête à m'appeler Jean-Mimi ? ». J'étais au bout de mes idées de prénom et l'heure tournait, j'ai fini par renoncer.

– Bon, je vais à l'école, Jean-Mimi – euh, Matou ! On se retrouvera ce soir. D'accord ? ai-je dit en enfilant les bretelles de mon sac à dos et en m'éloignant.

Mais avant de fermer la porte, je me suis retourné. Le chat s'était mis à farfouiller dans les coussins du canapé. Il en a extirpé deux souris qu'il avait mises de côté. Puis, d'un coup de patte habile, rapide et précis, il a lancé ses victimes en l'air, a ouvert grand sa gueule et les a gobées, l'une après l'autre. Un peu comme quand mon meilleur copain, Marco, lance des M&M's en l'air et les fait tomber dans sa bouche.

4
LE ROI DE LA ZAPETTE

Les jours suivants, j'ai continué à observer le manège du chat. C'était vraiment le roi des malins. Le matin, il n'exposait qu'un ou deux cadavres de souris et gardait les autres, qu'il dégustait discrètement. Bien sûr, maman était un peu déçue. Le tableau de chasse des débuts l'avait impressionnée. Elle pensait qu'en deux temps, trois mouvements, il n'y aurait plus d'envahisseurs dans le grenier. Mais au bout de quinze jours, on entendait encore les petites pattes des rongeurs qui faisaient la fiesta dans le faux plafond. Résultat : après sa période d'essai, le chat est resté. Il faut dire que Mamoune n'avait pas à se plaindre : l'organisation était impeccable. Je m'occupais du bien-être du matou, papa achetait la litière et les croquettes. Il avait même entrepris de découper la porte qui donnait sur le jardin, afin qu'il puisse sortir.

— Sais-tu, Paulo, qui est l'inventeur de la première chatière ? m'avait-il demandé ce jour-là en brandissant fièrement son fer à souder dans le garage qui lui sert d'atelier pour ses inventions.

Inutile de se creuser la tête. La réponse n'allait pas tarder.

— C'est Isaac Newton, le célèbre scientifique. Il en avait plus qu'assez de se lever pour faire sortir son chaton.

Pourtant, même si le mécanisme inventé par papa semblait judicieux ✱, on retrouvait toujours le chat sur le canapé. Je me demandais bien pourquoi il y restait vautré toute la journée, jusqu'à ce que je comprenne qu'il regardait la télé en notre absence. Oui, vous avez bien lu. Le matou se servait de la zapette. Je m'en suis aperçu un jour où je suis rentré un peu plus tôt que prévu. La maman de Marco m'avait déposé devant la maison. Mes parents n'étaient pas encore là. Je venais d'ouvrir la porte quand j'ai entendu de la musique, puis la voix d'un commentateur qui parlait des baleines à bosse et de leurs soucis avec tous ces océans qui n'en finissent pas de se réchauffer. Sur la pointe des pieds, je

✱ La porte de la chatière était censée s'ouvrir grâce au mouvement des moustaches du chat. Mais bon, comme le matou n'a jamais daigné tester le mécanisme, nous ne savons toujours pas s'il fonctionne.

me suis approché. Le chat n'était pas sourd, il m'avait entendu lui aussi. Quand je suis arrivé dans le salon, il avait tout éteint et faisait semblant de dormir. Mais à malin, malin et demi, comme dit papy Jean-Michel. J'ai posé la main sur le poste. Il était encore tiède.

Le soir venu, j'en ai parlé à papa **.

– Tu es certain que le chat regardait un reportage? m'a-t-il demandé en se frottant le menton, signe qu'il réfléchissait intensément.

Et sans me laisser le temps de répondre par l'affirmative, il a ajouté:

– Au fond, ça ne m'étonnerait pas. Dès que je l'ai vu, j'ai su que cet animal était spécial.

– Qu'est-ce que tu veux dire par «spécial», papa?

＊ Maman, j'ai évité. Les comportements spéciaux, ce n'est pas ce qui la rassure le plus dans la vie.

— Tu te souviens, je l'ai trouvé dans la décharge de l'usine, à l'intérieur d'une grande poubelle contenant des papiers de toutes sortes...

— Et alors ?

— Eh bien... il était plongé dans la lecture d'un rapport sur les différentes brosses à dents à travers les âges, un truc vraiment pas rigolo à lire. Il ne m'a même pas entendu.

Papa était en train de me dire que ce chat savait lire.

— Tu veux dire qu'il semblait lire. Non ? ai-je insisté.

Papa a hésité. Puis il s'est corrigé :

— Mais oui, Paulo, il ne lisait pas en vrai. Ça n'existe pas, un chat lecteur. Il faisait semblant.

— Et après ?

— Après, dès qu'il m'a vu, il a sursauté de peur et s'est mis à trembler. Peut-être quelqu'un l'a-t-il maltraité, ou abandonné ? Qui sait ce que ce pauvre animal a vécu !

— Et ensuite ?

— Je ne sais pas pourquoi, le chat a dû comprendre qu'avec moi, il avait affaire à quelqu'un de solide, qui inspire la confiance. Alors, il a fait le beau, il m'a séduit, je l'ai trouvé touchant. Et au final, je l'ai embarqué.

5

MATOU WATSON SUPER COACH

L'affaire de la télé m'avait alerté et la conversation avec mon père a fini par me convaincre. J'ai espionné le chat. Mis à part regarder des documentaires sur les animaux quand nous n'étions pas là et se comporter comme le plus grand pacha de la terre, je n'ai rien remarqué d'anormal le concernant. Après tout, un chat qui allume et regarde la télé, est-ce si étrange ? Non. On trouve des choses mille fois plus farfelues sur le web.

Très vite, je me suis rendu compte qu'après l'école, j'avais hâte de le retrouver. Je lui parlais de ma vie, de mes soucis, de Linette Lavallon qui, je l'espérais, un jour peut-être, m'aimerait enfin. Ma poésie avançait à deux à l'heure : pourtant j'avais pensé à ces nouveaux mots qui me semblaient indispensables à toute déclaration : *Amour* et *Toujours*. Il me suffisait juste de trouver la bonne façon de les placer et le tour serait joué. Oui, en résumé : tout baignait !

Hélas ! Tandis que je me triturais les méninges, comme dit papy, et alors que j'étais presque sur le point de trouver, mon existence a été perturbée par cette invention diabolique : le cahier de correspondance à faire signer aux parents. Cet après-midi-là, les sourcils froncés, assise devant son ordi, maman a lu à voix haute, lentement, en détachant chaque mot, l'odieux commentaire laissé par mon maître :

— Mathématiques : Paul ne connaît pas ses tables de multiplication. Il doit se ressaisir avant d'atteindre le fond du gouffre dans lequel il se laisse inexorablement tomber depuis la rentrée. Le fond du gouffre ? Inexorablement ? a-t-elle répété avant de me prévenir : Paul Durand, je te conseille de prendre tes palmes, ton tuba, et de remonter à la surface. Et vite !

Quelle galère ! Le regard noir, les sourcils en accent circonflexe, maman venait de m'appeler par mes prénom et nom, signe que l'heure était vraiment *vraiment* grave. Si j'avais été honnête, je lui aurais répondu que je n'aime pas le calcul, que je suis nul dans cette matière, et que ce que je préfère, c'est rester tranquille au fond de la classe, à rêver qu'un jour Linette Lavallon m'aime d'amour. Mais ce n'était pas une réponse à faire à quelqu'un comme ma mère et surtout, ce n'était pas le moment. J'ai donc promis de m'y mettre le soir même.

Avant le dîner, maman m'a fait asseoir à la table de la cuisine. Au début, les tables de deux, de trois, de quatre et même de cinq, ça s'est plutôt bien passé. Mais dès que je suis arrivé à celle de six, patatras ! J'ai commencé à caler. Aussitôt, Mamoune a perdu patience.

— Si tu ne sais pas tes tables de multiplication à la fin de la semaine, a-t-elle menacé, eh bien, eh bien, je te prive...

Un parent normal aurait privé son fils de dessert, de sortie avec les copains, de télé ou de téléphone*. Pas maman.

— Je te prive de chat, a-t-elle déclaré.

— Non ! ai-je aussitôt répondu. Pas ça !

— Mais si, Paulo ! Si tu ne te ressaisis pas, nous le renverrons là où il était.

✱ Mais bon, je n'en ai pas, alors ça ne pouvait pas être ça.

J'ai d'abord pensé que ma mère ne ferait jamais une chose pareille. La plupart du temps, elle profère des menaces et ne les applique pas. Mais cette fois, elle a fait comme si je n'étais pas là et s'est mise à préparer le dîner. Le moral à zéro, je me suis écroulé dans un fauteuil du salon. Depuis le canapé, le chat n'avait rien perdu de la scène. Oreilles dressées, il était à l'affût. Il avait tout entendu, j'en étais sûr. Dans son regard, j'ai cru déceler un mélange de mépris et de reproches. J'essayais de trouver une solution, quand une voix grave et profonde s'est élevée.

— Paulo, tu as entendu ta mère ? Tu dois te ressaisir, et vite ! Il n'y a pas le choix.

Purée ! Mais qui me parlait ? Côté cuisine, maman tapotait sur son ordi tout en surveillant les endives. Elle était comme à son habitude silencieuse, concentrée sur ce qu'elle faisait. Visiblement, elle n'avait rien entendu.

— Dis-moi, Paulo, tu comprends ce que je te dis ? a repris la voix.

J'ai vérifié : la télé ne fonctionnait pas. Je me suis levé. Personne n'était caché derrière les rideaux. Victoire et papa n'étaient pas encore rentrés. Il n'y avait qu'une solution. Je me suis approché du canapé et j'ai chuchoté à l'oreille du chat :

— C'est toi qui as parlé ?

— À ton avis ? a-t-il dit.

— Mais... comment tu fais ?

— Et toi, comment tu fais pour parler ?

J'étais en plein rêve ! En plus d'être doué de la parole, ce chat répondait du tac au tac.

— C'est normal, je suis un garçon, moi ! ai-je rétorqué.

— La belle affaire ! Eh bien moi, je cause, je tchatche, je jargonne, je jase. Bon, on ne va pas passer Halloween sur le sujet. On s'y met, bro ?

— Bro ?

— Ben oui, brother, quoi ! Ce n'est pas comme ça que vous vous appelez, entre copains ?

— Euh, si. Mais on s'y met, à quoi ?

— Ben, à réviser, a-t-il répondu en imitant ma voix. Tu verras, tu les sauras avant la fin de la semaine, les tables de six à dix. Et s'il le faut, je t'apprendrai celles de onze et de douze. Après ça, la reine des endives nous laissera tranquilles.

J'ai jeté un œil côté cuisine. Tout était normal, aucune réaction. L'eau bouillait, une odeur de pieds flottait dans l'air, maman pianotait sur son ordi, elle n'avait clairement rien entendu. Ça alors, c'est énormissime, me suis-je dit, je suis le seul garçon sur terre à entendre parler les chats, l'unique enfant à avoir un matou baratineur et qui en plus connaît les tables de multiplication ! N'importe qui, à ma place, serait parti en courant. Pas moi ! J'avais envie d'en savoir plus.

– Mais enfin, Matou, pourquoi tu veux m'aider ? ai-je chuchoté.

– Pourquoi je veux t'aider ? a-t-il répété. À ton avis ?

J'ai réfléchi « vite fait, bien fait », comme dit souvent ma mamy Nicole. J'ai répondu :

– C'est à cause de la menace de maman !

– Ben oui, bro ! Je n'ai pas du tout envie de retourner dans la décharge, là où ton père m'a trouvé !

Le chat voulait rester. C'était bien la preuve qu'il se sentait à l'abri chez nous. Mais côté Mamoune, il avait flairé un danger. J'ai essayé de le rassurer :

– Matou, il faut savoir que maman a l'air sévère, mais que la plupart du temps, elle ne met pas ses menaces à exécution. Papa l'est encore moins, il ne te renverra jamais d'où tu viens *.

* En gros, il ne faut pas croire ce que disent les parents.

— C'est ce que tu dis, mais moi, j'ai appris à me méfier. Alors, les tables de multiplication, je vais te les apprendre.

— Ah bon ! Quand ça ?

— Illico, bro. Mais avant, appelle-moi Watson. Compris ? C'est mon nom.

— Watson ? Comme l'assistant de Sherlock Holmes ? lui ai-je demandé. Moi, je préfère t'appeler Matou.

— Bah ! Si tu veux, mais je ne raffole pas de ce nom. C'est sans imagination, trop commun, archi classique, même si, au fond, c'est une bonne couverture.

— Et tu viens d'où, pour t'appeler Watson ? C'était quoi, ta vie d'avant ?

— D'où je viens ? a dit le chat dans un soupir. Trop long à te raconter, trop compliqué.

— Essaie !

— Pas question. Je suis ici incognito, je ne vais pas te déballer ma vie.

Mais pour qui se prenait ce mytho ? Incognito ! Une couverture ! Et puis quoi encore ! Ce jour-là, je n'ai pas réussi à en savoir plus. J'ai laissé tomber l'affaire tout en me jurant de tirer ça au clair le plus vite possible.

— Bon, cette fois, je t'aide gratos, bro, a repris Matou, mais tu fais des efforts. On s'y met tout de suite. Dis-moi ce que tu aimes le plus dans la vie ?

Je n'allais tout de même pas lui dire que ce que j'aimais le plus au monde, c'était le sourire de Linette Lavallon. J'ai répondu :

— Les bananes bien mûres.

— Bien, alors commençons par la table de six : dis-moi combien tu dois avoir de bananes bien mûres si tu en donnes six à deux copains ?

— Euh, douze.

— Et si tu donnes six bananes à trois, à quatre, à cinq, à six, à sept, à huit, à neuf ou à dix copains?

J'ai un peu hésité, mais l'idée de distribuer des bananes était plutôt rigolote. Go! Je me suis lancé:

— Si je donne six bananes super mûres à chacun de mes trois amis, ça fait dix-huit bananes. Si j'en donne à quatre amis, il m'en faudra vingt-quatre...

Emporté dans mon élan, j'ai fini par distribuer des bananes à presque toute la classe*. J'ai trouvé: $6 \times 5 = 30$, $6 \times 6 = 36$, $6 \times 7 = 42$, $6 \times 8 = 48$, $6 \times 9 = 54$ et $6 \times 10 = 60$. Mince alors! J'étais arrivé au bout sans trébucher. J'étais assez fier de moi et j'envisageais de me plonger enfin dans une BD, quand Matou s'est mis à fixer l'aiguille des secondes sur la pendule du salon. Il m'a annoncé:

* Sauf à Léo Deluitre, un garçon de ma classe qui tourne sans arrêt autour de MA Linette Lavallon. Franchement, il ne mérite pas que je lui en offre.

– Bon, maintenant je vais t'interroger dans le désordre et tu vas trouver les résultats. Top chrono !

Le chat n'a rien lâché. Bilan : avant le dîner, j'avais distribué des régimes entiers de bananes et je savais par cœur la table de six. Bien sûr, Matou ne comptait pas s'arrêter là.

– Demain, on fait celles de sept et de huit, et après-demain, celles de neuf et de dix. Et pour finir, révision générale.

Ça alors ! Mais qui est Matou Watson ? me suis-je dit. Une star des maths ? Un empereur du calcul ? Ou aurait-il encore un tas d'autres choses à m'apprendre ?

LA VIE EST INJUSTE

Matou Watson a tenu ses promesses. Sans répit, sans me lâcher une seule seconde, sans mollir un seul instant, en véritable entraîneur, il m'a fait réviser toutes les tables de multiplication sur lesquelles je butais. Au final, six fois neuf ou huit fois sept ont arrêté de me faire peur. À la fin de la semaine, interrogé par le maître, j'ai répondu à toutes les questions, évité tous les pièges, et je suis revenu avec un sublime 10 sur 10 à la maison !

Inutile de dire qu'il n'était plus question de me priver de chat et de le renvoyer d'où il venait.

— Tu vois, Paulo, m'a dit Mamoune, si tu veux, tu peux. Alors maintenant, fais des efforts dans les autres matières.

Les jours suivants, mes parents ont encore évoqué mes prouesses tandis que je savourais en silence mon secret. Je me disais que c'était précieux d'avoir un chat qui pouvait me sortir de situations pénibles sans que les adultes se doutent de quoi que ce soit. En résumé, je me sentais fort, unique, et tout a roulé jusqu'au dimanche, lorsque mamy Nicole est venue à la maison.

Nous étions réunis autour de la table de la salle à manger lorsque Mamoune a apporté un super gâteau au chocolat. Mais avant que nous le dégustions, ma grand-mère a tapoté son verre avec son couteau pour obtenir le silence. J'ai compris qu'elle avait quelque chose d'important à nous dire. Peut-être allait-elle annoncer qu'elle voulait se remarier avec le voisin, vu qu'avec papy Jean-Mi, ça n'avait pas l'air de gazer très fort depuis quelque temps ? Ou alors, elle allait faire construire une maison au bord de la mer pour nous inviter en vacances ? Pas du tout !

— Puisque nous sommes tous réunis, a-t-elle commencé, je suis fière et heureuse de lever mon verre à la réussite d'une jeune personne de notre famille qui a fait de très gros progrès en classe... Je voudrais féliciter...

Aussitôt, je me suis redressé, quand mamy Nicole a continué :

— Je voudrais féliciter... notre chère Victoire, pour les deux notes brillantes qu'elle a obtenues cette semaine au collège. 18/20 en français, 17,5 en histoire... Bravo, ma chérie ! Trinquons à ta réussite.

Papa, maman et ma sœur souriaient bêtement pendant que je sentais ma tête s'étirer de dix kilomètres.

– Victoire, a ajouté ma grand-mère, la voix tremblotante d'émotion, Victoire est la fierté de la famille, une jeune fille qui ira loin.

Alors là, face à tant d'injustice, j'ai cru que j'allais tomber de ma chaise. J'ignorais que ma sœur avait obtenu de si bonnes notes dernièrement. Et que venait faire l'expression « la fierté de la famille » dans la bouche de mamy Nicole ? Tous ceux qui fréquentent Victoire au quotidien savent que c'est une ado archi normale. Elle passe le plus clair de son temps avachie sur son lit, les écouteurs vissés aux oreilles, le portable greffé à la main. Et pour ce qui est d'aller loin, il faut savoir que quand ma frangine quitte sa couette, c'est pour aller piller le frigo. J'ai tout de suite voulu éclaircir l'affaire. J'ai demandé le plus discrètement possible à ma sœur :

— Comment tu as fait pour obtenir des notes pareilles ? Le trimestre dernier, il était question de te faire redoubl...

Mais au moment même où je posais cette question, j'ai croisé le regard faussement modeste de Matou Watson, vautré sur le canapé. Et là, j'ai compris. Je n'étais pas le seul à savoir que notre chat était spécial et je n'étais pas l'unique personne à profiter de ses services. Sans lui, Victoire n'aurait jamais pu avoir d'aussi bons résultats. D'une humeur de dogue, une assiette de gâteau à la main, je me suis aussitôt levé pour aller m'installer à côté du traître. J'ai murmuré à son oreille :

— C'est toi qui l'as coachée ?

— Ben oui. Et voilà le résultat ! a répondu ce fourbe, sans visiblement éprouver ne serait-ce que le dixième d'un gramme de remords.

Ma colère est montée puissance mille et elle n'est pas retombée de sitôt, parce que l'affaire ne s'est pas arrêtée là. Vous qui lisez ces lignes, écoutez un peu la suite ! Archi fière de sa petite-fille, mamy Nicole lui a tendu une enveloppe. Victoire l'a ouverte et a soulevé sa frange pour voir ce qu'il y avait à l'intérieur. Puis elle a étouffé un petit cri de surprise et, radieuse, s'est exclamée :

— Oh, merci, merci beaucoup. C'est génial ! Trop gentil ✳ !

Après avoir embrassé mamy Nicole, ma sœur nous a montré le contenu de l'enveloppe : un billet de cinquante euros (oui, oui, vous avez bien lu) ! Papa et maman se sont extasiés et ont même applaudi. Assis sur un bout du canapé, le cœur serré, je n'ai pas pu m'empêcher de penser au dernier cadeau

✳ Plus fayote, tu meurs !

que mamy Nicole m'avait offert : *La Véritable Histoire
d'Attila pour les nuls*. Je n'ai rien contre l'histoire de
ce Hun. J'adore les passages où cet homme méga
méchant et sa horde de barbares zigouillent
l'ennemi. Mais si on compare un livre qui s'adresse
aux nuls à une somme aussi extravagante, il y a de
quoi être révolté et faire du boudin pendant des
mois. Vous ne trouvez pas ?

ET EN PLUS, LA VIE EST CRUELLE

Le lendemain, en classe, j'ai encore moins écouté le maître qu'à mon habitude. Le menton calé entre mes mains, à travers la fenêtre, je regardais filer d'énormes nuages noirs au-dessus des toits gris en ne cessant de me poser ces questions : Pourquoi Victoire obtient-elle de tels cadeaux ? Pourquoi, à moi, mamy n'offre-t-elle qu'un billet de cinq euros de temps en temps ? Et surtout, pourquoi ma sœur est-elle soudain la « fierté de la famille » ? Quant à mes parents, je leur en voulais aussi. Ces lâches n'avaient rien dit du tout pour rétablir cette terrible injustice, alors qu'ils auraient pu clamer que leur fils chéri, moi, avait lui aussi obtenu d'excellentes notes*. Et puis enfin, j'en voulais surtout à Watson. Pourquoi ce traître, cet ingrat, m'avait-il caché qu'il aidait ma sœur ? Moi qui croyais qu'il ne me parlait qu'à moi. Plus la matinée avançait, plus j'en voulais à la terre entière. À la récré, je ruminais toujours quand Marco est venu me rejoindre dans le coin de la cour où je m'étais isolé.

– Ça va, Paulo ? m'a-t-il demandé. Tu n'es pas malade ? Tu fais une drôle de tête.

J'ai tout déballé. Je lui ai raconté l'horrible repas avec toute ma famille et l'énorme somme d'argent qu'avait reçue ma sœur, en lui demandant toutes les cinq secondes :

✱ Enfin, une seule, mais ce n'était pas si mal !

— Tu ne trouves pas ça injuste, toi ?

— Affirmatif, a dit Marco. La vache ! Cinquante boules, c'est géant ! J'adorerais recevoir autant d'argent en une fois.

Mon ami me comprenait.

— Ah, tu vois ! Cinquante euros, c'est mon argent de poche pendant dix mois ! Il y a de quoi râler, non *?

J'ai continué à me plaindre encore un peu, en exagérant parce que ça faisait du bien d'être écouté par un ami compatissant qui trouvait que je méritais mieux. Bien sûr, j'ai évité de mentionner Watson et son ignoble trahison. Je n'allais tout de même pas avouer que notre chat parlait et qu'il m'aidait à apprendre mes leçons. J'ai fini par me calmer et même par avoir envie d'aller jouer. J'ai proposé à Marco :

* Vous noterez que j'ai aussi fait des progrès au sujet des divisions.

— On joue à chat ?

Mon copain, qui d'habitude adore se percher un peu partout, se taisait. Il avait l'air gêné. Je lui ai demandé :

— Qu'est-ce qui se passe ?

— Écoute, Paulo, ce n'est peut-être pas le moment de te le dire, mais...

— Mais quoi ?

— Léo Deluitre a invité Linette Lavallon à goûter chez lui. Et je crois qu'elle a accepté.

8
VELLÉITAIRE
TOI-MÊME !

S ur le chemin du retour, à l'arrière du car de ramassage, je ne trouvais plus la vie seulement injuste, je la trouvais franchement archi cruelle. « Ma » Linette allait goûter chez ce gros nul de Léo Deluitre. Je les ai imaginés tous les deux, échangeant des sourires, jouant et rigolant tout en se goinfrant de chouquettes. Purée, ce que c'était dur ! Le pire de mes cauchemars se réalisait. Les larmes me sont montées aux yeux tandis que la pluie dégoulinait sur les vitres du car. Le paysage était sinistre, mais peu à peu, toute cette eau a fini par noyer mon chagrin. Pour me réconforter, j'ai pensé à ce que papa dit dans ce genre de situations : « Quand on atteint le fond, il faut donner un coup de talon et remonter à la surface. » C'est ce que j'ai essayé de faire. D'abord, me suis-je dit, je ne dois pas me laisser impressionner par Léo Deluitre. Ce n'est qu'un garçon ordinaire, bon en calcul, en géométrie, en français, en anglais, en sciences, en gym, mais pas du tout fait pour être l'amoureux de Linette Lavallon, qui mérite d'être aimée par un être délicat et attentionné. Après, j'ai pensé à ce que serait mon arme fatale : la poésie. Il était plus que temps que je me mette à écrire le merveilleux poème d'amour qui la rendrait raide dingue de moi. Si je me donnais du mal, j'étais certain que Linette apprécierait mon cadeau et qu'elle aimerait le garçon sensible qui en était l'auteur. Alors, finies les larmes, fini le fond du gouffre ! Tandis que le car approchait de la maison, je me suis senti beaucoup mieux. Je me suis mis à rêver d'amour mais aussi de gloire. Si je m'appliquais, je deviendrais un grand poète, un poète reconnu, aimé de tous *, célébré dans les écoles, récité par des milliers et des millions d'enfants. On me récompenserait par un prix prestigieux. Et ce jour-là, je monterais sur la scène d'un grand théâtre pour le recevoir. La foule m'applaudirait et crierait mon nom tandis que, les yeux humides, modeste, je dirais que je ne m'attendais pas à un si grand succès et remercierais la terre entière **.

Dès que je suis arrivé à la maison, j'ai retrouvé Watson au salon, où il regardait la télévision. Vite

* Surtout de Linette.
* * Sauf mamy Nicole, faut quand même pas exagérer !

agacé par ce traître avachi dans les coussins, j'ai soupiré à m'en décrocher les poumons. Sans quitter l'écran des yeux, il m'a demandé :

– Il y a un truc qui ne va pas, bro ?

– Nan, ça va.

– Je te connais maintenant, ça n'a pas l'air de trop gazer. Accouche !

J'ai fini par avouer que Léo Deluitre tournait autour de Linette Lavallon.

– Paulo, tu devrais avoir plus d'ambition, a dit Watson, et ne pas te laisser écraser. Tu veux que je te dise ? Tu es trop velléitaire.

Mais où ce chat trouvait-il des mots pareils ? Il a dû penser que je n'avais pas compris le mot *velléitaire*, ce qui n'était pas totalement faux.

– Ça signifie que tu as envie de réussir, mais que tu ne t'en donnes pas les moyens, a-t-il ajouté.

J'ai à nouveau senti la mauvaise humeur piquer mes narines. Elle grignotait mon cerveau et compressait mes tempes. Matou Watson parlait avec une assurance dingue. D'ailleurs, tout, en lui, n'était qu'assurance. Quelques semaines plus tôt, quand il avait débarqué dans notre famille, il filait doux. Il chassait des souris, se tenait tranquille et ne se faisait pas remarquer. Mais aujourd'hui, Watson avait grandi et encore grossi. Maintenant, constamment vautré sur le canapé, ce sans-gêne prenait toute la place. Je l'ai détesté. Oui, oui, je l'avoue, vous avez bien lu, je l'ai détesté. Surtout quand il a insisté :

— Si ça t'intéresse, bro, je peux te coacher pour être le meilleur, the best, the number one, celui que toutes les filles adorent.

Il me parlait sur un ton si prétentieux que je me suis demandé s'il ne se moquait pas de moi. Alors, sans un mot, sans même aller à la cuisine chercher un goûter, l'air digne, comme un prince offensé à qui l'on aurait manqué de respect, j'ai pris mon cartable et j'ai filé dans ma chambre pour tenter d'écrire le plus grand poème de tous les temps.

9

COMME UN PHOQUE ENRHUMÉ

Bien installé à mon bureau, j'ai choisi une jolie feuille de papier décorée de petits oiseaux, le genre de truc qui devrait plaire aux filles. J'ai taillé mon crayon et regardé le plafond. Purée ! Le temps filait et rien ne venait. Mais alors, rien de rien. J'avais beau fixer les fissures au plafond, le lustre, la mouche qui tournait autour, je ne trouvais pas un mot, pas un vers à écrire. J'ai commencé à douter. Très vite, je me suis dit que je n'allais pas y arriver, que je ne serais jamais un grand poète, que Linette Lavallon finirait par aimer Léo Deluitre et qu'ils vivraient ensemble toute leur vie. Les larmes ont envahi mes yeux, pile au moment où Victoire a déboulé dans ma chambre. Elle était venue m'emprunter un tube de colle, des ciseaux, des feutres, un tuba et un stylo quatre couleurs. Elle s'apprêtait à filer en embarquant le tout, quand elle m'a entendu renifler.

— Tu pleures, Paulo ? Qu'est-ce qui t'arrive ? m'a-t-elle demandé.

Avant de lui répondre, j'ai essuyé la morve qui coulait de mon nez avec ma manche.

— Personne ne m'aimera jamais, ai-je lâché, la voix pleine de sanglots.

À ce moment-là, le téléphone a retenti dans la chambre de ma sœur, sur l'air de *We Are The Champions*. Ce devait être sa copine Prune qui l'appelait pour la cinquante-deuxième fois de la soirée. J'ai bien vu que ma frangine mourait d'envie de répondre. Elle a hésité, mais elle est restée.

— Qu'est-ce qui t'a mis dans cet état ? m'a-t-elle dit.

Tout en reniflant comme un phoque enrhumé, je lui ai avoué :

— Je suis amoureux de Linette Lavallon et je crois qu'elle en aime un autre. C'est horrible. Si ça se trouve, elle ne sait même pas que j'existe.

— Paulo, arrête de chouiner, a dit Victoire d'une voix douce, une voix qu'elle n'emploie presque jamais. Si je comprends bien, tu aimerais que cette fille te calcule ?

— Euh, oui, c'est à peu près ça.

— Alors, je vais te donner un bon conseil. T'as qu'à demander à Watson. Ce chat est archi pénible, il est un peu spécial, je suis d'accord, mais question confiance en soi, il n'y a pas mieux. Dis-lui de te coacher, je parie que ça va t'aider.

Tout à coup, devant tant d'amabilité, ma jalousie à son égard s'est envolée *. Je lui ai demandé :

— Tu crois qu'il en est capable ?

— *Indubitablement !* comme dirait Watson, ce qui signifie que c'est sûr à cent pour cent. Notre chat est super calé dans plein de domaines, mais il y a juste deux problèmes...

— Lesquels ?

— Un, je pense qu'il n'est pas *clean*.

Mais de quoi parlait-elle ? Je lui ai demandé :

— Qu'est-ce que tu veux dire par « pas *clean* » ?

— Si je te le dis, tu ne le répètes pas aux parents ?

— Juré, craché.

Elle a baissé la voix, comme si quelqu'un pouvait nous entendre.

* *Et aussi en raison de la nécessité de trouver une solution pour que Linette Lavallon m'aime enfin d'un amour qui tue.*

— La semaine dernière, un drôle de type, planté en face de la maison, m'a demandé si j'avais vu un chat sombre dans le quartier, un chat avec des yeux verts. Un chat qui répondrait au nom de... Watson.

Mon sang n'a fait qu'un tour.

— Et qu'est-ce que tu lui as dit ?

— Qu'aucun chat ici ne répondait ni à ce nom ni à un autre. Depuis, je ne l'ai pas revu.

— Ça craint ! Il faudra surveiller la maison, je n'ai pas envie qu'on nous l'enlève.

— Moi non plus.

— Tu as une idée de qui ça pouvait être ?

— Aucune.

— Bon... Et après ? C'est quoi, le deuxième problème avec Watson ?

— Ses tarifs. Franchement, il abuse. Un conseil, négocie !

10
LE CONTRAT

Le lendemain, quand je me suis enfin décidé à aller consulter notre chat, il avait quitté le canapé. Pour une fois, il était au fond du jardin, dans la cabane à outils. Il venait d'attraper une souris qu'il avait commencé à dévorer. L'horreur! J'allais faire demi-tour, en me disant que demander de l'aide à un animal aussi vulgaire n'était peut-être pas la meilleure des idées, quand Matou Watson, la bouche pleine, sur un ton détaché, l'air cool, m'a demandé:

— Tu cherches quelque chose, Paulo ?

— Euh, oui. Victoire m'a dit... que peut-être... tu pourrais... m'aider.

Le chat me voyait venir. Mais il avait clairement décidé de me laisser m'enliser.

— T'aider à quoi ? a-t-il insisté, debout sur ses pattes arrière, appuyé sur un carton contenant des pots de confiture vides.

Il mastiquait en faisant un boucan d'enfer.

— Euh, eh bien, à m'imposer... euh... à me faire apprécier...

— C'est quoi, ton objectif, bro ?

— Je veux... je veux qu'on me calcule, je veux qu'on dise de moi... que je suis un garçon génial, enfin... en tout cas, un garçon plutôt pas mal, j'en ai assez d'être un élève moyen moyen. Je... je voudrais que Linette Lavallon, la plus jolie fille de la classe, m'aime...

Et pour ça, j'ai pensé à lui écrire une super poésie, mais je… je n'y arrive pas. Tu pourrais m'aider ?

Notre chat a craché par la fenêtre ce qui restait de la pauvre souris. Répugnant ! Ensuite, l'air moqueur, il m'a dit :

— Avec toi, c'est pas gagné. Je ne suis pas sûr de réussir à te donner un peu d'assurance. Ta sœur, ce genre de choses, elle percute vite. Déjà, bro, arrête de bafouiller, dis les choses simplement et clairement. D'accord ?

— OK.

— Ça, c'était un conseil gratuit. Cadeau de la maison, a ajouté Matou Watson tout en se curant les dents avec un petit morceau de bois. Maintenant je dois réfléchir au tarif. D'abord, pour te coacher, il y a du boulot. Et en plus, je dois t'écrire une poésie. C'est bien ça ? Courte ? Longue ?

– Euh... moyenne, ça ira. Mais je ne savais pas que tu te faisais payer. Victoire ne m'a rien dit, ai-je menti. Tu es nourri, logé, tu as un canapé pour toi tout seul... Tu n'as besoin de rien, si ?

Le chat a fait semblant de réfléchir, mais je me doutais bien qu'il avait déjà pensé à ses conditions.

– Premièrement, je veux de la pâtée de chez Hézard, en grosses boîtes, pendant six mois. Je parle de la version luxe, trois étoiles. Vos parents, ils sont bien gentils, mais les boîtes du Mini-Market qui sentent les pieds, ça commence à me lasser. Ensuite, je voudrais un autre collier. J'ai l'air d'un loser avec ce vieux bandana. Ça ne se fait plus depuis des siècles. J'ai repéré un adorable tour de cou sur www.alanimalchic.com. Le rouge, avec des strass. Tu vois duquel je parle ?

Je ne voyais pas du tout, mais je me doutais que tout ça allait me coûter mon argent de poche péniblement amassé depuis des années. J'ai tenté :

— Trois mois de boîtes et des petites. Et un collier sans brillants.

— Non. Ce n'est pas négociable, bro. À prendre ou à laisser. Compris ?

J'ai réfléchi, mais pas longtemps.

— Bon, d'accord. Mais à une condition.

— Mouais, laquelle ? Dis toujours.

— Je ne suis pas ton frère. Alors, tu arrêtes de m'appeler bro. Compris ?

11
SUBLIMER SA VIE

Dès le lendemain, ma formation *Croire en soi* a démarré dans la cabane au fond du jardin, entre notre brouette et tout un tas de bêches et de râteaux, à l'abri du regard de nos parents et de nos voisins. Mais où ce chat avait-il appris tout ça ? Comment avait-il eu connaissance de ces techniques de coaching ? Quand je le lui ai demandé, comme si tout cela était parfaitement normal, il m'a répondu :

— J'ai pas mal lu sur le sujet. J'ai aussi regardé quelques émissions à la télé. Et puis Internet m'a beaucoup aidé. Je corresponds avec des coaches de tous les pays. Je suis les meilleurs de la planète sur les réseaux sociaux.

Incroyable mais vrai ! Pendant que nous étions au travail ou à l'école, Matou Watson communiquait avec des humains à travers le monde ! Tout à coup, j'ai eu un énorme doute. Écrivait-il aussi en anglais ? Ou dans d'autres langues ? Je n'ai pas osé le lui demander. Il en était bien capable alors que moi, je *speak english* moyen, moyen.

— Bon, nous allons commencer, a-t-il annoncé en saisissant un miroir en plastique rose qui traînait dans une caisse et avait dû appartenir à Victoire quand elle aimait porter des robes qui tournent et des barrettes recouvertes de brillants.

Il l'a tendu vers moi.

— Qu'est-ce que tu vois ? a-t-il demandé.

— Ben... moi.

— Oui, mais encore, décris-toi.

— Eh bien... je suis un garçon de dix ans, ni grand ni petit, un peu blond et un peu brun. J'ai un gros nez et un petit front. Bref, je suis quelconque...

— C'est ça ton problème, Paulo. Tu penses que tu es ordinaire. Alors que chacun d'entre nous est unique. Réfléchis à ça. *La beauté extérieure attire et la beauté intérieure captive*, a-t-il soudain déclamé comme un grand tragédien sur la scène de la Comédie-Française. Tu piges ce que ça veut dire ?

J'ai tenté une traduction :

— Mieux vaut qu'on te calcule question physique, et si tu n'es pas un bouffon, c'est encore mieux ?

— Voilà, c'est ça ! Quand tu veux, tu comprends vite. Donc, on reprend. Mais cette fois tu vas faire des efforts pour trouver ce qui est intéressant chez toi. Que vois-tu dans ce miroir ?

— Un garçon ni grand...

— Sois positif, Paulo. Les avis négatifs, c'est pour les individus moyens. Et être moyen, c'est le début de la médiocrité.

Non, mais ! Watson commençait sérieusement à me casser les pieds, avec ses airs de tout savoir. Ce chat m'énervait, pourtant je ne devais pas oublier mon but et l'investissement que j'avais réalisé en commandant son super collier en cuir rouge orné de strass gros comme des pop-corn *. Je me suis concentré et j'ai repris ma description :

* Coup de chance ! J'avais réussi à convaincre papa d'acheter plusieurs boîtes de nourriture de luxe pour chat snob, prétextant que notre pauvre Matou ne touchait plus à sa pâtée.

— Je vois un garçon qui n'a pas de boutons. Il a un joli sourire, si on ne s'arrête pas à son appareil dentaire. Ses traits sont réguliers, mais son front est trop bas et son nez...

— Positif! Po-si-tif! a hurlé Matou Watson. Et puis, Paulo, coiffe tes cheveux en arrière, tiens-toi droit, respire par le ventre, articule et recommence! Dis-moi ce que tu vois!

Je me suis exécuté. Il faut dire que Matou Watson ne me laissait pas le choix. Mais je devais reconnaître que ses conseils avaient du bon : avec les cheveux en arrière, j'avais l'air moins bas du front.

— Je vois un garçon qui a de beaux yeux verts et un nez...

— Il est comment, ton nez?

Surtout, ne pas dire que j'ai un gros pif. Surtout, ne pas dire que j'ai un gros pif. Surtout, ne pas dire que j'ai un gros pif, ai-je pensé. J'ai répondu :

— J'ai un nez qui a… de la personnalité.

— Bien, très bien, Paulo. Tu as compris le truc ? Tout ce qui ne te plaît pas chez toi, soit tu oublies d'en parler, soit tu le sublimes. Et tu penses positif. Po-si-tif. Compris ?

— Compris.

— Alors pour demain, tu t'arranges un peu. Coiffe-toi et trouve des vêtements qui ne ressemblent pas à un sac de couchage avec des trous pour les bras. Tiens-toi droit et souris. Et puis, trente fois par jour, matin et soir, tu répètes : *Je suis quelqu'un de bien. Je mérite qu'on m'admire et qu'on m'aime.*

— Trente fois ? C'est beaucoup !

— Oui, et de plus en plus vite. À ce rythme, tu auras une bonne élocution. Indispensable pour briller en société !

PEUT MIEUX FAIRE !

Bien sûr, je n'ai raconté à personne que le chat était devenu mon coach et que je suivais ses conseils à la lettre. Je n'ai rien dit, ni à papa, ni à maman, ni à mamy Nicole, ni à papy Jean-Mi, pas même à Marco et encore moins à Linette Lavallon, que je comptais séduire très vite. Avec ma chemise de trappeur, mon jean déchiré aux genoux et ma coiffure stylée, je trouvais que je m'étais amélioré. Et c'est exactement ce que mamy Nicole m'a dit, à sa façon, quand elle est venue nous rendre visite à la maison, le week-end suivant :

— Eh bien, Paulo ! Quelle allure ! Un véritable jeune homme !

Ce à quoi, modeste, j'ai répondu :

— Oh, ce n'est rien, mamy. Juste des vêtements que nous avons achetés en solde avec maman.

Quand tout fier, dans la cabane au fond du jardin, à la séance de coaching suivante, j'ai raconté à Matou Watson mon échange avec ma grand-mère, il s'est écrié :

— Fatale erreur ! Si on te fait un compliment, Paulo, tu ne te dévalorises pas, tu réponds juste « Merci », ou encore mieux : « Merci, mamy chérie ! Toi aussi, tu as fière allure. » Résultat, ta grand-mère te calcule.

Au fond, Matou Watson me demandait de fayoter auprès de mamy Nicole. Je n'avais jamais pensé à lui dire qu'elle avait fière allure, vu qu'elle porte toujours une jupe écossaise, un chemisier beige, les mêmes lunettes à monture dorée, et ne change jamais de coiffure ni de couleur de cheveux – des reflets bleus tirant sur le violet.

— Vois-tu, Paulo, m'a expliqué Matou Watson, il s'agit d'apprendre à recevoir des compliments. Mais aussi d'apprendre à faire attention aux autres. Dis-toi que tu mérites qu'on dise des choses chouettes à ton sujet. Et si tu réponds à la personne qui te parle qu'elle aussi est top, cela lui fera plaisir et lui montrera que tu t'intéresses à elle. Et puis il y a une chose importante que tu aurais pu raconter à ta grand-mère.

— Mais je n'ai rien de spécial à lui dire, moi, à mamy Nicole ! À part que je lui en veux encore pour la dernière fois.

— Réfléchis un peu. Qu'aurais-tu pu annoncer à mamy Nicole, qu'elle aurait été ravie d'apprendre ?

Tandis que je me creusais la tête, je sentais l'haleine répugnante du chat et me demandais ce qu'il avait encore pu manger. Exaspéré par ma lenteur, il a soupiré :

— J'attends, Paulo !

Je me suis lancé :

— Eh bien, j'aurais pu parler à mamy Nicole de ma bonne note en calcul, mais je ne sais pas si c'est un exploit d'avoir juste une seule bonne note, surtout que, depuis, j'ai eu pas mal de 3 ou 4/10, et même un 2 en géographie.

— C'est un exploit pour toi, Paulo ! C'est la première fois que tu as obtenu une aussi bonne note, non ?

— Euh, oui.

— Alors, communique là-dessus. À ton échelle, c'est un événement majeur. Sois-en certain, si tu le lui rappelles de temps en temps, ta grand-mère sera fière de son petit-fils. Et si elle a beaucoup, beaucoup d'imagination, elle pourrait même se mettre à espérer que tu deviendras un grand chercheur ou un scientifique. Tu piges ? Et si elle est fière...

— Elle pensera que je suis quelqu'un de bien. D'accord, j'ai compris. Je vais faire des efforts. Et toi, de ton côté, Matou, tu as avancé sur la poésie ? J'ai très envie de l'envoyer à Linette Lavallon...

— Ne sois pas si pressé, Paulo, je suis en train d'y travailler, a dit Matou Watson en prenant un air aussi vague qu'inspiré.

Puis, subitement, sans motif apparent, il s'est figé. J'ai aussitôt suivi son regard. Par la petite fenêtre de notre cabane, on apercevait un homme, coiffé d'une casquette ridicule, vêtu d'un manteau à motif écossais, surmonté d'une petite cape du même tissu. Appuyé à notre barrière, il regardait du côté de notre abri de jardin. Tranquille, il a extirpé une vapoteuse de sa poche et a aspiré goulûment le tuyau. Aussitôt, un nuage de fumée l'a enveloppé. Mais qui était cet individu ? Était-ce lui qui avait parlé à Victoire ? Et que nous voulait-il ?

NOM: HOLMES
PRÉNOM: NESTOR

Dès qu'il avait vu l'homme, Matou Watson s'était précipité derrière des cartons contenant nos guirlandes de Noël, nos habits pour le ski et des dossiers concernant les inventions de papa. Le meilleur coach du monde, le roi de la formation *Croire en soi*, mort de trouille, avait déguerpi à la vitesse grand V. Je lui ai demandé à voix basse :

— Pourquoi tu te caches ? C'est qui, ce type ? Qu'est-ce qu'il veut ?

Pas de réponse. J'ai écarté les cartons. Matou Watson était blotti dans un recoin, l'air miteux, racorni comme une vieille serpillière usagée.

— Hé ! Je te parle. C'est qui, cet homme ? Tu le connais ?

Au lieu de répondre à ma question, Matou Watson m'a imploré, d'une voix désespérée, une voix que je n'avais jamais entendue :

— S'il te plaît, Paulo, va voir ce qu'il veut exactement. Considère ça... comme un exercice, mais ne lui parle surtout pas de moi. Tu ne me connais pas, tu ne m'as jamais vu. D'accord ?

Le chat tremblait de tous ses membres. Mince alors ! Pour un peu, il se serait mis à miauler ! J'ai accepté la mission. Les mains dans les poches de mon jean à trous, genre garçon cool qui n'a peur de rien, je suis sorti et me suis avancé vers l'individu qui se tenait derrière notre grille. Il vapotait toujours.

De la fumée qui sentait le caramel brûlé sortait de sa bouche et de ses narines. Purée ! On aurait dit une locomotive à vapeur qui fonctionnait au sucre.

— Hey, mon petit ! m'a-t-il lancé. Tu habites ici ?

D'abord, ne pas accepter qu'il m'appelle « mon petit », ai-je pensé. Je n'étais pas à lui, et même si je me sentais parfois minuscule, qui était-il pour s'adresser ainsi à moi ? Aussi, pour me donner du courage, je me suis souvenu des premiers exercices de ma formation et me suis répété « Je ne suis pas un minus, je ne suis pas un minus, je ne suis pas un minus ».

— Tu n'as pas de langue, petit ? a-t-il insisté en regardant par-dessus mon épaule, comme s'il cherchait quelqu'un ou quelque chose dans le jardin. Tu l'as donnée au chat, peut-être ? a-t-il ajouté sans sourire.

L'heure était critique. Que répondre ? Si possible, trouver quelque chose d'intelligent et de percutant.

— J'ai une langue, monsieur. Elle me sert souvent à dire bonjour à la personne à qui je m'adresse.

Dans les yeux de l'inconnu, deux points d'interrogation se sont inscrits, accompagnés d'une petite lueur admirative. Peut-être pensait-il : « Mais qui est ce garçon plein d'assurance ? Il n'est pas aussi nunuche que je le croyais. » Je me suis souvenu des conseils de Matou Watson. J'ai respiré, je me suis tenu bien droit, le menton un peu relevé, le regard franc. J'étais certain que notre chat aurait apprécié mes progrès – enfin, s'il avait été en état de le faire.

— Vous avez raison, a approuvé l'homme. J'aurais dû vous dire bonjour. Alors, je recommence. Bonjour, jeune homme, pourriez-vous m'aider ?

— Bonjour. Vous aider à quoi faire, monsieur ?

— Je cherche un chat, un chat un peu spécial.

Je ne suis pas particulièrement à l'aise avec le mensonge. J'ai toujours l'impression que la personne en face voit que je mens et que mon nez va s'allonger. Mais je savais que dans cette situation, mentir n'était pas si grave que ça. Matou Watson n'avait pas l'air très emballé à l'idée d'être confronté à ce type. Cette perspective semblait même le terroriser, ce qui, pour un être aussi sûr de lui, était exceptionnel. J'ai répondu :

— Nous n'avons pas de chat. Et qu'entendez-vous par « un chat un peu spécial » ?

Tout en tirant sur sa vapoteuse, l'homme me fixait en silence. Puis il a examiné la façade de notre maison ainsi que la pelouse, avant de fouiller dans la poche intérieure de son manteau et d'en extirper un téléphone portable. Toujours en silence, il m'a mis une photo sous les yeux. Fier, il posait debout, et devant lui, confortablement installé dans un fauteuil en cuir, j'ai reconnu Matou Watson. Ce dernier fixait l'objectif d'un air plein d'assurance, tandis que de sa patte gauche, il tenait la souris d'un ordinateur. À l'arrière-plan, rangés sur des étagères, j'ai aperçu tout un tas de dossiers. Un panneau accroché au mur indiquait *Agence Holmes*.

– C'est mon chat, presque un ami. Je tiens à lui, j'ai très envie de le retrouver. Quelque chose me dit qu'il est passé dans le coin ; j'aperçois des cadavres de souris sur votre pelouse, devant votre abri de jardin, une chatière dans votre porte et... je ne serais pas étonné qu'il vous ait donné des cours de confiance en soi – c'est sa spécialité, n'est-ce pas, monsieur... Paul Durand ? a-t-il déclaré d'un ton moqueur après avoir déchiffré les noms inscrits sur l'étiquette de notre boîte aux lettres.

Je me suis senti comme un sucre sur lequel on aurait versé du lait brûlant. Comment ce type avait-il réussi à découvrir autant de choses sur nous en si peu de temps ? Je n'avais qu'une envie, c'était qu'il parte, loin, juste un aller simple, sans retour. En même temps, j'ai senti qu'il ne fallait pas que je me comporte comme un grand timide qui a peur de tout. J'ai raclé ma gorge, éclairci ma voix et j'ai demandé :

— Et vous ? Comment vous appelez-vous ?

— Holmes... Nestor Holmes. Alors, je vous dis à bientôt, Paul Durand, on devrait se revoir très, très vite.

L'EXCEPTIONNELLE ENFANCE DE MATOU WATSON

Au moment où je regardais Nestor Holmes traverser la rue, j'ai aperçu Victoire, qui rentrait du collège. Ils se sont croisés. L'homme s'est arrêté et, tout en tirant sur sa vapoteuse, il a dévisagé ma sœur. Mais bon, pour croiser son regard, comme dit papa, il faut se lever tôt. Le casque audio sur les oreilles, les mains dans les poches de son sweat à capuche, la frange au ras du nez, elle avançait d'un pas volontaire, semblant indifférente à son entourage. Erreur. À tous les coups, elle avait vu Holmes discuter avec moi.

— Paulo, tu as parlé à ce type ? Il ne t'a pas fait de mal, au moins ? m'a-t-elle demandé dès qu'elle est arrivée à ma hauteur. C'est lui qui rôde autour de la maison. Qu'est-ce qu'il voulait ?

Déjà, j'étais fier que ma frangine s'intéresse à moi. Mais j'étais surtout ému et touché qu'elle se fasse du souci pour ma petite personne. Je l'ai rassurée.

— T'inquiète, Vic, j'ai fait face. Il cherche Matou Watson.

— Pourquoi ?

— Il dit que c'est son ami. Tu crois, toi, que Watson a des amis ? Je pense que c'est son associé.

— Son associé ? Son associé dans quoi ?

— Dans une agence de détectives.

— De détectives ?

— Oui, il m'a montré une photo où on les voit tous les deux, dans une sorte de bureau. Ils se connaissent, c'est certain. Sur la photo, un panneau indiquait *Agence Holmes*. Mais on pourrait peut-être demander des précisions à notre Matou. Il est planqué là-bas, derrière des cartons.

Quand nous sommes rentrés dans la cabane, le chat ne faisait plus la serpillière derrière le matériel que papa utilise pour ses inventions et les dossiers de maman.

— Mais où est-il ? a demandé Victoire.

Nous l'avons appelé, aucune réponse. Sauf que quelque chose pendouillait derrière nos affaires de plage. Je l'ai prévenu :

— Tu es là, Watson, je vois ta queue. T'inquiète, on est juste tous les deux, Victoire et moi.

J'ai écarté la glacière et les chaises longues. Aussi plat qu'une crêpe, le chat s'était agrippé à la planche de surf à moteur électrique de papa. Il ne respirait plus, il ne bougeait pas d'un poil. Quand il m'a vu, il a repris son souffle.

— Tu pourrais répondre quand on te parle, lui a dit Victoire. C'est qui, ce type ? Et pourquoi il te cherche ?

Le chat a fini par accepter de quitter sa cachette. Pas très solide sur ses pattes, il s'est laissé tomber sur un pliant. Misère de misère ! Il semblait avoir pris dix ans, ce qui est beaucoup pour un chat. J'ai reposé la question :

— Matou, pourquoi cet homme te cherche ?

— Il veut que je finisse un travail que j'ai commencé, a-t-il avoué d'une voix hésitante.

— Un travail qui consiste en quoi ?

Watson n'a pas répondu tout de suite. On aurait dit qu'il cherchait ses mots, qu'évoquer son passé lui coûtait. Il a fini par se lancer :

— Nestor Holmes est détective privé, j'ai travaillé avec lui pendant des années.

— Et alors ? a demandé Victoire.

— J'ai effectué des tas de recherches pour cet homme. C'est moi qui faisais tout le boulot, il était bien incapable de se débrouiller seul. Je devais lui livrer un dossier hyper sensible, et...

— Et ? ai-je insisté.

— Je ne l'ai pas fait ! C'est pour ça qu'il me cherche. Mais je ne veux plus travailler pour lui. Faut voir comme il m'exploite ! Il me nourrit quand il y pense. Il me traite comme un animal, je n'avais même pas le temps de dormir ! Mais le pire, ce n'est pas ça, a-t-il ajouté sur un ton larmoyant.

— C'est quoi, le pire ? a demandé Victoire.

— C'est que je n'ai jamais reçu de reconnaissance pour mon travail, qui était pourtant exceptionnel.

Matou Watson reprenait du poil de la bête. La colère qu'il ressentait lui redonnait la patate.

– Depuis que j'ai décidé d'être libre et de me mettre à mon compte, Holmes l'a très mal pris. Il faut le comprendre : sans moi, il n'est plus rien, a-t-il ajouté.

Matou Watson était redevenu lui-même : sûr de lui, certain qu'il était le centre du monde. Pourtant, une chose m'intriguait. Je l'ai questionné :

– Tu as aidé cet homme, OK. Mais comment communique-t-il avec toi ? Chez nous, j'ai vérifié : aucun adulte ne t'entend. Alors ? Pourquoi lui ?

– Nous avons été élevés ensemble. Il était fils unique. Quand je suis arrivé dans la famille Holmes, le petit Nestor avait quelques jours. C'était un bébé un peu rougeaud qui braillait toute la journée en attendant qu'on lui donne le biberon. De mon côté, j'étais un adorable et splendide chaton, très en avance pour mon âge, et aussi très dégourdi.

Tout en évoquant ses souvenirs, le chat se redressait. Il a enchaîné :

— La comparaison était plutôt à mon avantage. J'ai appris à marcher bien avant Holmes, à lire et à parler avant lui. Je faisais des opérations super compliquées alors qu'il entassait péniblement des cubes de couleur.

J'ai essayé d'imaginer Watson petit. Ce que ça avait dû être difficile de vivre avec un chat pareil !

— À cette époque, a-t-il continué, Nestor Holmes ne savait même pas déchiffrer les livres qu'on lui offrait. Si les adultes ne lui lisaient pas l'histoire, c'est moi qui le faisais. Les chats sont bien plus malins que les humains. Il ne pouvait pas rivaliser.

Matou Watson s'est levé. Planté devant nous, la voix vibrante, comme s'il interprétait un rôle puissant et tragique, il s'est exclamé :

— Voyez-vous, les enfants, on est mal récompensé dans la vie ! Je n'ai fait qu'aider Holmes. Et croyez-vous qu'il en a été reconnaissant ? Que nenni *!

Victoire avait écouté le chat sans l'interrompre. Quand il a terminé de s'apitoyer sur lui-même, elle a résumé à sa façon :

— Mouais, tu veux dire que tu te la pètes tellement que tu penses pouvoir te débrouiller tout seul. Mais à mon avis, tu as besoin de nous. Parce que vivre en apnée collé à une planche de surf dans une cabane au fond d'un jardin dès que ton ancien associé débarque, ce n'est pas un projet méga génial, même pour un chat qui a autant de talent que toi. N'est-ce pas, mon cher Watson ?

* « Que nenni ! » veut dire que dalle, rien, nada, zéro. Bon, c'est un peu ringard de parler comme ça, mais c'est aussi méga stylé.

15

TOPE LÀ !

La visite indésirable de Nestor Holmes et la tirade musclée de Victoire ont calmé Matou Watson pour la soirée. Je crois même que les événements l'avaient amené à réfléchir. Il semblait d'humeur partageuse. Sans qu'on lui demande quoi que ce soit, il nous a laissé de la place sur le canapé. Ce que c'était cool de retrouver la douceur du velours qui le recouvrait et de pouvoir s'enfoncer dans ses coussins moelleux ! On était entre nous. Papa et maman discutaient dans la cuisine. Papounet faisait de grands gestes et des moulinets avec ses mains. Il devait exposer à maman une nouvelle invention. Elle écoutait tout en pianotant sur son ordi. Mon père déroulait des documents, lui montrait des carnets de notes. À mon avis, la conversation allait durer un bon bout de temps.

— Vous n'allez pas me laisser seul sur ce coup, les enfants. Il faut me débarrasser de Nestor Holmes, et vite ! a pleurniché Watson. Qu'est-ce que vous comptez faire ? Quel est votre plan ? Je vous écoute.

— Et pourquoi devrait-on trouver la solution à tes problèmes ? C'est toi, le coach, non ? a répondu Victoire en piochant dans un paquet de chips.

Même si je ne distinguais pas bien le regard de ma sœur, j'ai deviné qu'elle me lançait un clin d'œil. De son côté, l'air offusqué, le chat a répondu :

— Mais parce que je vous ai aidés et qu'à votre tour, vous devez faire pareil.

Ça, c'était vrai. Il fallait reconnaître une chose : Watson m'avait donné un sacré coup de main pour les tables de multiplication, et puis je me sentais quand même un peu moins loser depuis qu'il me coachait. Sans compter que la poésie pour Linette Lavallon n'allait pas s'écrire toute seule ! Bilan de la situation : j'avais tout intérêt à ce qu'il reste parmi nous au lieu de retourner faire l'assistant d'un détective privé aussi vapoteur qu'incompétent, et qui, en plus, maltraitait le personnel. J'allais intervenir, quand Victoire m'a devancé.

— Matou Watson, tu prétends qu'on te doit plein de choses, mais le fait est qu'on ne te doit rien du tout. On t'a payé, et bien payé, a-t-elle dit. Entre tes boîtes de pâtée de saumon aux airelles cueillies à la main et tes marinades de thon de la Baltique, sans parler de ton collier à strass et du fait qu'on n'a jamais dit à nos parents que tu nous fais payer tes services, alors que notre famille t'a recueilli, nous t'avons donné beaucoup.

Décidément, ma sœur avait décidé de ne plus se laisser embobiner ! Je trouvais qu'elle abusait, mais elle n'avait pas tout à fait tort non plus. Matou Watson n'était pas l'être le plus désintéressé de la planète. Il a encaissé, puis rétorqué d'une voix grave :

— D'accord. Qu'est-ce que tu veux en contrepartie de ta protection, jeune fille ?

— Moi ? Rien. Mais tu aides vraiment Paulo. Sans faire d'histoires, sans traîner, tu lui écris une super belle poésie pour que son amoureuse tombe raide dingue de lui, et en échange...

— En échange ? a demandé le chat.

— En échange, on te débarrasse de Nestor Holmes.

Le chat a fait semblant de réfléchir. Il a soupiré profondément à plusieurs reprises, a lissé ses moustaches, le tout en silence. Puis, comme si cela lui arrachait le cœur, l'estomac et les intestins, il a répondu :

— Victoire, tu me déçois énormément. Je ne pensais pas que tu étais une jeune fille aussi dure en affaires. Mais vu la situation, j'accepte le contrat. Tope là !

16
CHAT DE POUBELLE

Après cet accord historique, un peu de discrétion s'imposait. Tous les trois, nous sommes montés dans la chambre de Victoire. Juché sur un pouf, Matou Watson était prié de répondre à toutes nos questions, tandis qu'à l'aide d'un stylo orné d'une plume rose, je devais noter ses réponses dans un vieux carnet Barbie appartenant à ma sœur, souvenir du temps où elle jouait avec ses poupées blondes aux gros lolos.

– Parle-nous du dossier que tu devais donner à Nestor Holmes. Qu'est-ce qu'il contenait ? De quoi s'agissait-il ? Et où était-il censé être ? a demandé Victoire à notre chat tout en dirigeant vers lui sa lampe de bureau.

Incroyable ! Ce que ma frangine avait l'air pro dans son rôle d'enquêtrice ! On aurait dit qu'elle avait fait ça toute sa vie. En face d'elle, Watson cuisait sous la chaleur de l'ampoule. Il a râlé, mais Vic n'a pas faibli et l'a laissé rôtir dans la lumière.

– Holmes travaillait pour un client, un certain Stéphane Bichard, un homme que je ne connais pas, a fini par répondre notre chat en grimaçant. J'étais chargé de trouver des indices concernant le travail du concurrent de ce Bichard et, si possible, de récupérer son dossier pour le donner à Holmes.

– Et c'était quoi, ce dossier ? a demandé Vic.

— Des plans, des notes, des comptes rendus d'essais, a répondu Watson. La société Brident va mettre au point une nouvelle brosse à dents révolutionnaire. L'affaire est importante. Dès qu'il sera vendu, ce petit bijou de technologie ringardisera tous les autres modèles de brosse à dents et inondera le marché international.

Victoire et moi avons échangé un regard.

— Brident? me suis-je écrié. Tu as dit Brident? Mais c'est là que travaille papa !

— Ben oui. C'est pour ça que j'ai rencontré votre père, le jour où je cherchais des indices dans les poubelles de son entreprise. Bon, je me doutais bien que je n'allais pas trouver le dossier concernant la « brosse à dents du futur ». Les chercheurs ne sont pas débiles au point de jeter des documents top secret à la poubelle, mais Holmes pensait que je pouvais trouver des choses intéressantes : c'est dingue ce qu'on apprend sur les gens en fouillant dans leurs déchets !

— OK, Watson. Et après ? Que s'est-il passé ? a demandé Victoire.

— Je lisais un rapport sur les brosses à dents à travers les âges quand votre père a débarqué et s'est penché vers moi d'un air aussi attendri qu'étonné. Dès qu'il m'a vu, cet homme sensible et généreux a eu pitié d'un pauvre chat fatigué et grelottant alors qu'il faisait un temps de gueux et que...

— Bon, arrête ton mélo, Watson ! Dis-nous juste ce que tu as trouvé ce jour-là, l'a interrompu Victoire. Grouille !

Matou Watson a fait comme s'il ne remarquait ni l'impatience de ma frangine ni le ton qu'elle employait pour lui parler, mais de sa patte droite, il a donné un coup de patte dans la lampe qui l'aveuglait.

— En vérité, je n'ai rien trouvé qui ferait avancer l'enquête. Par contre, votre père m'a dit que je pouvais venir avec lui, que sa famille était formidable, que chez vous, presque tout le monde rêvait d'avoir un chat et que si j'acceptais de venir vivre sous son toit, j'aurais une vie de roi.

— C'est ça. Et après ? a demandé Victoire.

— Eh bien, j'ai compris que c'était l'occasion rêvée de quitter Nestor Holmes. Ce type est un voleur qui, à prix d'or, veut vendre à Bichard le travail du génial inventeur de Brident. Et qui fait le sale boulot ? Et qui est payé des clopinettes ? C'est moi. Alors...

— Alors ?

— Alors, l'envie de réorienter ma carrière vers quelque chose de moins contraignant et de couler des jours heureux et confortables auprès d'une famille aimante s'est imposée à moi. Sans hésiter, j'ai accepté de venir dans votre maison, qui, soit dit en passant, n'est pas aussi confortable et accueillante que ça.

— Non, mais je rêve ! s'est exclamée ma sœur. Tu as une vie de pacha et tu te plains. Et bien sûr, tu n'as pas prévenu Holmes ? C'est pour ça qu'il te cherche ? Il pense que tu as le dossier concernant la brosse à dents !

— Exact. D'un côté, il faut le comprendre. Qu'est-il sans moi ? Je vous le demande. Mais là où il se trompe, c'est que je n'ai pas ce fichu dossier top secret, et croyez-moi, je n'ai jamais eu l'intention de doubler Nestor Holmes.

— Doubler ? Qu'est-ce que tu veux dire, Watson ? ai-je demandé.

— Si j'avais découvert le dossier ultra confidentiel concernant la brosse à dents, j'aurais pu le vendre directement à son client et filer ensuite pour une destination lointaine faite de cocotiers, de palmiers et de transats hyper confortables où je me serais abreuvé de délicieux cocktails.

Dehors, le vent soufflait par rafales. La pluie s'écrasait sur le Velux de la chambre. Le chat a frissonné.

— Et ce Nestor Holmes, comment t'a-t-il retrouvé ? a demandé Victoire.

Watson a hésité avant de répondre.

— On attend, Watson ! Dis-nous ! a insisté ma sœur.

Piteux, il a avoué :

— J'ai publié des photos de votre maison sur les réseaux sociaux. Il a dû reconnaître l'endroit.

— C'est malin ! Quel bouffon tu fais ! On ne t'a jamais dit qu'il fallait faire gaffe à ce qu'on publie sur les réseaux ? a glapi Vic.

— Bon, j'ai fait une bêtise. OK ! Mais qui n'en fait pas ? Alors maintenant, on agit. Soit on trouve le dossier concernant la brosse à dents du futur et on le donne à Holmes, soit...

— Soit ? ai-je demandé.

— Soit vous lui faites passer l'envie de revenir dans le coin pour le restant de ses jours.

17

CE BOLOSS DE LÉO DELUITRE

La nuit ne nous a pas porté conseil. Vraiment pas du tout. Que fallait-il faire ? S'introduire chez Brident et parvenir à récupérer le précieux dossier ? Ce serait malhonnête. Ou s'armer de battes de baseball et convaincre Nestor Holmes d'aller vapoter ailleurs, le plus loin possible de chez nous ? Dans le premier cas, si nous étions découverts, papa risquait d'avoir des ennuis. Dans le deuxième cas, je ne sais pas ce que vous en pensez, mais la violence me répugne.

Je ne suis pas pour, même si nous vivons dans un monde qui en abuse. Et puis on ignorait de quoi ce Nestor Holmes était vraiment capable...

Quand je me suis pointé dans la chambre de ma sœur, elle entassait en vrac ses affaires de piscine dans son sac à dos.

— Et si on appelait la police ? ai-je demandé. Elle est là pour nous protéger, non ?

— Réfléchis un peu, Paulo, a dit ma frangine en faisant une moue de dégoût — elle venait de découvrir son maillot de bain encore mouillé, roulé en boule dans un vieux sac en plastique. Qu'allons-nous dire aux gendarmes ? Qu'un homme rôde autour de chez nous pour voler notre matou ?

— Ben, pourquoi pas ?

— Inutile ! Pour nous, Watson est précieux, mais vu de l'extérieur, c'est un chat normal, pas très classe. La police a autre chose à faire que de surveiller des gens qui ont *peut-être* l'intention de voler un animal d'apparence ordinaire.

Que faire, alors ? Tout à coup, je me suis senti sans défense. Mon cœur s'est serré en pensant à Linette Lavallon et à la poésie que le chat devait écrire afin que je la séduise. S'il nous quittait, c'était mort.

— Oui, mais si on n'agit pas, il partira, c'est sûr ! Et moi, je n'en ai pas envie. Il est peut-être pénible, il abuse souvent avec ses goûts de luxe, mais il faut reconnaître une chose, on s'est habitués à lui et...

— Et il est devenu indispensable à notre survie dans un monde cruel, m'a interrompu Victoire. Je sais, Paulo. Sans lui, notre existence serait beaucoup moins fun, a soupiré ma sœur tout en glissant dans ses cheveux une fine barrette pour retenir sa frange.

Purée ! C'était fou comme ça la changeait ! J'avais oublié que Victoire avait les yeux verts.

Contrairement à ce que j'avais imaginé, elle n'avait même pas de boutons sur le front. Par contre, il était plus blanc que le reste de son visage *.

Avant de quitter la maison, Vic et moi avons fait promettre à Matou Watson de n'ouvrir à personne quoi qu'il arrive et de se trouver une bonne planque. C'est ce qu'il a fait. Il a filé sans demander son compte. Pendant la classe, la situation m'a préoccupé encore un bon bout de temps. Tout en regardant par la fenêtre le haut des arbres de la cour ployer sous le vent, j'ai retourné le problème dans un sens puis dans l'autre, sans trouver d'issue. Mais très vite, un autre souci a chassé le premier. Des mouvements suspects parmi les premiers rangs ont attiré mon attention. À quelques mètres de moi,

* Normal: il n'avait pas vu le soleil depuis des mois, voire peut-être des siècles.

dans la rangée du milieu, Léo Deluitre faisait passer des petits bouts de papier roses à Linette Lavallon, installée juste devant le tableau dans la rangée de droite. Impossible qu'elle lui réponde, me suis-je dit, elle ne peut pas être intéressée par ce boloss aux jambes maigres qui dépassent de son pantalon trop court, ce bouffon à la tête ovale comme un ballon d'anniversaire, ce triste personnage aux yeux de poisson mort d'amour. Hélas ! Après avoir lu tous ses doux mots, Linette lui a adressé un sourire et lui a même répondu. Mais que pouvait bien écrire ma chérie à ce bouffon ? Et moi, alors ? Moi qui l'aimais si fort et qui avais comme projet de la séduire avec une magnifique poésie ? Inutile de vous dire que j'ai vite compris que si je ne voulais pas que Léo Deluitre sorte avec ma Linette, nous devions trouver une solution au problème de Matou Watson. Et vite !

SUPER MAMOUNE !

ès que je suis descendu du car, j'ai foncé dans la maison. Sans faire un petit coucou à maman qui travaillait dans la cuisine, sans goûter, ni même boire un verre de lait, je me suis précipité au salon.

— Si tu cherches le chat, a dit Mamoune, je ne sais pas où il est. Je ne l'ai pas vu de la journée.

Normal, me suis-je rassuré. On lui avait dit de se cacher. Matou Watson devait faire la planche quelque part. Je l'ai appelé, sans résultat. Et s'il lui était arrivé quelque chose ? J'ai regardé sous le canapé, sous les fauteuils, dans les placards, derrière les rideaux, dans le coffre à jouets, dans la buanderie, au garage. Je n'ai pas cessé de l'appeler. Avec un balai, j'ai même tapoté le faux plafond pour vérifier qu'il n'y était pas planqué. Matou n'était pas dans la maison. Il ne restait plus qu'à explorer la cabane au fond du jardin. J'y suis allé. Avec l'énergie du désespoir, j'ai ouvert tous les cartons, retourné la planche de surf, déplié les chaises longues, cherché dans la glacière. Le chat n'était nulle part. Quand je suis revenu bredouille, je devais être livide.

— Ça va, Paulo ? m'a demandé maman en jetant un coup d'œil rapide dans ma direction tout en continuant de tapoter sur son ordi.

— Je ne trouve pas Matou.

— À mon avis, il a dû aller chasser, pour disparaître aussi longtemps. Ce qui est étonnant, c'est que tout le monde le cherche aujourd'hui.

À ces mots, j'ai dressé l'oreille.

– Pourquoi tu dis ça ?

– Eh bien, un homme a sonné à la porte il y a une heure environ.

– Un homme ? Il était comment ?

– Il portait un manteau écossais, une casquette avec des oreilles, et il vapotait.

Ma gorge s'est nouée, mon cœur s'est serré.

– Qu'est-ce qu'il voulait ?

– Il cherchait un chat correspondant à la description de Matou.

J'étais à deux doigts de m'évanouir.

– Et ? j'ai demandé.

– Et rien du tout : je l'ai renvoyé. Je n'ai pas envie de renseigner un homme qui vous envoie la fumée de sa vapoteuse en pleine figure.

Purée ! me suis-je dit, ma Mamounette chérie est géniale. Elle avait rembarré Holmes. Pourtant, elle devait bien se douter que le chat recherché par cet homme était maintenant le nôtre, vu que le signalement correspondait pile poil. J'ai insisté :

— Tu ne lui as rien dit, pas le moindre petit renseignement sur Matou ?

— Eh bien, non. Qu'il se débrouille ! Et puis, même si le chat qu'il cherche était celui que nous connaissons, et même s'il lui appartenait autrefois, je trouve que Matou est ici chez lui. On s'est tous habitués à sa présence, même moi qui n'étais pas très emballée au début. Enfin, il est libre d'aller et venir. D'ailleurs, si l'envie l'avait pris d'aller voir ailleurs, il ne s'en serait pas privé.

De soulagement, je me suis laissé tomber sur une chaise de la cuisine, quand quelque chose a frôlé mes mollets. Matou Watson, le poil recouvert de toiles d'araignées et de poussière, avait surgi d'on ne sait où. J'étais tellement content que je l'ai caressé jusqu'à ce que Victoire arrive, suivie de peu par Papounet. Il tenait dans sa main droite un énorme bouquet de fleurs, et, dans la gauche, des tas de sacs provenant du meilleur traiteur de la ville.

– Milou, mes petits chéris! a-t-il lancé avec un large sourire, l'air victorieux : j'ai une nouvelle, une excellente nouvelle à vous annoncer!

19
LA CLÉ DU SUCCÈS

Mon père a tout installé sur la table de la cuisine et a offert les fleurs à maman, qui s'est aussitôt écriée :

— Mais qu'est-ce qui se passe, Romuald ? Pourquoi tout ça ?

— Milou chérie, aujourd'hui est un jour exceptionnel. Aujourd'hui, c'est la fête. Tu ne fais pas la cuisine, je m'occupe de tout !

J'avais rarement vu papa aussi joyeux. Sous nos yeux étonnés, il a sorti une nappe, la jolie vaisselle, a disposé dans les assiettes les bonnes choses venant du meilleur traiteur, ainsi que nos pâtisseries préférées, sans oublier une boîte de saumon irlandais aux airelles sauvages pour Matou Watson. Après avoir ouvert la bouteille de champagne et le jus de pommes pour Victoire et moi, il a rempli les coupes et les verres en silence, souriant toujours d'un air mystérieux.

— Alors, Romuald, tu vas nous dire ce qui se passe ? a demandé Mamoune.

— Trinquons d'abord !

— Oui, mais trinquons à quoi, mon chéri ? a insisté maman.

— À mon génie, à mon talent ! Vous avez devant vous, mesdames, messieurs, un comptable ordinaire enfin devenu un génial créateur, meilleur que les meilleurs ingénieurs, celui qui est en train d'inventer la brosse à dents du futur, celle qui va révolutionner le quotidien de milliards de gens. Du moins, c'est ce que j'espère !

Victoire, Watson et moi sommes restés sans voix, terrassés, médusés, scotchés par la nouvelle.

— Ça alors, Romuald, tu veux dire que tu as présenté ton projet à tes supérieurs chez Brident ? Celui sur lequel tu travailles en secret depuis des mois ? s'est exclamée maman.

— Exact, ma chérie ! J'ai exposé aujourd'hui mes plans à la direction et ils se sont montrés très intéressés.

— Ah bon, a-t-elle répondu, cela signifie que ta brosse à dents va être commercialisée ?

— Pas encore, mais je n'ai jamais été si près du but. Le comité de direction n'a encore vu que mes croquis, mais je l'ai senti très, très enthousiaste. Surtout monsieur Dumonteil, le patron. Il veut à tout prix que je développe mon idée. Inutile de vous dire que lorsqu'il verra mon prototype, il sera conquis. La brosse Durand fera la différence. Encore un peu de patience, mes chéris, la gloire m'attend.

Papa se tenait bien droit, le menton relevé, le regard à l'horizon. Mince alors ! Quel coup du destin ! Le fameux concurrent de Bichard n'était autre que notre papounet chéri !

— Et elle marche comment, cette brosse révolutionnaire ? ai-je demandé pour faire diversion.

— C'est simple comme bonjour, mon Paulo. Il suffisait d'y penser... Le dentifrice, incorporé dans le manche fabriqué en bambou, 100 % écologique et archi résistant, se diffuse dès qu'on l'active grâce à l'ingénieux système que j'ai inventé.

— Comme je suis fière de toi ! s'est exclamée maman. Mais, Romuald, tu ne devrais pas vendre la peau de l'ours avant de l'avoir tué...

— Milou, tu ne doutes tout de même pas de moi ?

Maman n'a pas voulu démoraliser papa. Il avait l'air tellement heureux !

— Et il te faut encore combien de temps pour mettre cette merveille au point ? a-t-elle demandé.

— Quelques semaines, quelques mois tout au plus. Mais tu as raison, rien n'est acquis. Il faut encore que je réalise un prototype digne de ce nom et que j'effectue des essais. D'ailleurs, je commence dès demain. Ce sont les vacances scolaires et moi aussi, j'ai pris quelques jours de congé.

Puis il a fouillé dans sa poche et en a retiré un petit objet, pas plus grand qu'un Lego.

— Rendez-vous compte, mes chéris, tous les plans, tous les documents, tout mon travail de plusieurs mois tiennent là-dedans, a dit papa en brandissant une clé USB comme s'il nous montrait le plus gros diamant de l'univers. Et cette petite chose, c'est quoi ? C'est la bombe qui va éclater dans toutes les salles de bains de France, d'Europe et même du monde, changeant le quotidien de millions de gens qui n'auront de cesse de dire : « Merci qui ? » Merci, Romuald Durand !

TRAHIR OU NE PAS TRAHIR

Purée ! Vous auriez dû voir le regard qui tue de Matou Watson quand il a réalisé que la solution à tous ses problèmes tenait dans cette clé USB que papa brandissait au-dessus de nos têtes. Les moustaches frémissantes, les babines retroussées, le chat ne la quittait plus des yeux. Il en bavait même d'envie, un peu comme s'il s'était agi d'une triple ration de pâtée Gourmette trois étoiles, la pâtée pour chats la plus chère du monde. Victoire, elle, a fait comme si elle n'avait pas vu l'agitation de Watson et a demandé d'un air un peu naïf :

— Papa, tu veux dire que la totalité de tes plans et de tes recherches sont là, dans cette clé, et seulement dans cette clé ?

Pour répondre, papa a baissé la voix, comme si des voleurs étaient cachés derrière les rideaux du salon.

— Exact, ma chérie. Je n'ai laissé traîner aucune copie de mon projet nulle part, et surtout pas dans mon ordinateur du bureau. Tout est là, dans ce petit truc que j'ai toujours sur moi. Je me méfie trop des espions.

Watson, comme hypnotisé, fixait Papounet. Je savais à quoi pensait cet ingrat. Il lui suffisait de voler la clé USB et de la donner à Nestor Holmes pour se débarrasser une bonne fois pour toutes du détective vapoteur. L'affaire était alléchante. Si papa n'avait rien conservé ailleurs, il lui serait impossible de prouver que la brosse à dents du futur lui appartenait. Pendant que mes parents se resservaient une coupe, Victoire a attiré le chat vers un coin du salon. Le regard noir, elle l'a saisi par la peau du cou et lui a glissé à l'oreille :

— Matou, si tu envisages de piquer les plans de papa, qui a travaillé si dur, tu oublies ça tout de suite. Sinon...

— Sinon ? a répété Matou en examinant d'un air innocent les griffes de ses pattes avant, un peu comme s'il se demandait s'il fallait les limer, les laisser telles quelles ou les vernir avec un vernis transparent.

— Sinon je dis à Holmes que tu as tout inventé, que tu as copié un vieux projet trouvé dans...

— Dans quoi, chère Victoire Durand ?

— ... dans les poubelles de Brident, a rétorqué Vic. Dis-toi bien, gros malin, que je saurai le convaincre sans problème ou bien... je me ferai un plaisir de lui dire où tu es, pour qu'il vienne te chercher. Et si tu disparais, j'aiderai Holmes à te retrouver, où que tu sois.

Le chat a haussé les épaules et s'est laissé tomber sur les coussins moelleux du canapé.

— Pffftttt... Tout ça n'est que foutaises et balivernes *! Je n'y crois pas une seconde.

— Et pourquoi ça, Watson ? Qu'est-ce qui m'en empêcherait ?

— Ton frangin et toi, vous avez trop besoin de moi.

Le chat n'avait pas tort. Mais, j'en étais certain, Victoire se tiendrait sur ses gardes, toute la nuit s'il le fallait.

Le lendemain matin, quand papa a débarqué dans la cuisine, vers neuf heures, beaucoup

* «Balivernes» et «foutaises» veulent dire à peu près la même chose: c'est sans intérêt, nul, bidon.

plus tard qu'à son habitude, il nous a salués d'un joyeux :

— Hello, les jeunes ! Vous êtes en forme ?

Zéro réponse. Le chat dormait d'un œil sur le canapé tandis qu'à table, nous faisions bonne figure. Pourtant, Victoire et moi, nous nous sentions aussi frais que si nous avions fait mille tours dans une essoreuse. Toute la nuit, nous nous étions relayés pour surveiller Matou Watson et l'empêcher de piquer la clé USB. Ce fourbe avait essayé plus de dix fois de pénétrer dans la chambre de nos parents afin d'accéder à la veste de papa, mais à chaque fois, nous l'en avions empêché. À la fin, nous avions même envisagé de l'enfermer quelque part, mais nous avions renoncé : il aurait bien été capable de hurler et d'alerter tout le quartier. Autour de la table du petit déj, le silence était lourd, aussi j'ai fini par demander :

— Alors, papa, qu'as-tu prévu de faire aujourd'hui ?

Mon père a aussitôt cessé d'étaler la confiture sur sa tartine. L'air important, il a répondu :

— Je vais travailler dans le garage. C'est aujourd'hui que je commence à mettre au point le prototype de *la brosse à dents Durand, la brosse qui veut du bien à vos dents*. Mais d'abord, un excellent petit déjeuner et un bon bain relaxant * me feront le plus grand bien !

* À l'étage, papa a consacré toute une pièce à une baignoire relaxante à remous format XXL. Grâce à un système ingénieux de bras, on a accès à plusieurs fonctions : massage (dos, jambes, pieds), friction avec serviette chaude, vaporisation d'eau de toilette (boisée ou fleurie), boisson froide ou chaude à gogo, le tout en musique (classique, rock, folklorique). Mais bon, comme les bras sont un peu rouillés, cette pièce dédiée à la relaxation ne contient qu'une grande baignoire ordinaire que papa envisage de réparer très vite.

Puis il s'est mis à éplucher une pomme sous les yeux de Watson, prêt à bondir, tandis que de son côté, Victoire ne quittait pas le chat des yeux.

Dès que papa a posé le pied sur la première marche de l'escalier menant à la salle de bains et sa baignoire de rêve, le chat a filé comme une fusée vers la chambre des parents. Victoire, courir le cent mètres, ce n'est pas trop son truc. Mais ce jour-là, tel le sabre laser de Dark Vador, elle a jailli devant lui et de tout son corps, bras et jambes écartés, lui a barré le chemin.

— Watson, qu'est-ce que je t'ai dit?

— ...

— Si tu tentes de piquer la clé, l'a menacé ma sœur, tu auras affaire à moi! Alors tu montes à l'étage avec nous, a-t-elle ordonné en poussant le chat dans l'escalier.

Au premier, nous avons attendu tous les trois dans le couloir. Aucun de nous ne bougeait. À quelques mètres, Papounet chantait un air militaire tout en barbotant dans la baignoire. Au bout d'un bon quart d'heure, la porte de la salle de bains s'est ouverte et papa a dévalé l'escalier sans faire attention à nous. Il a filé dans sa chambre. Une minute plus tard, tel un cochon qui comprend que sa vie va finir en jambon, il s'est mis à hurler :

— La clé ! Je n'ai plus la clé ! On me l'a volée !

Aussitôt, nous nous sommes précipités au rez-de-chaussée. Quand nous sommes arrivés, papa fouillait dans ses affaires, l'air égaré. Mais c'était trop tard. Autour de lui, le désordre était énorme, un peu comme quand je n'ai pas rangé ma chambre depuis huit jours. Les tiroirs étaient ouverts, le linge jonchait le sol, dans la penderie, les cintres étaient vides, et tous les livres qui d'habitude occupaient les tables de nuit étaient éparpillés sur le tapis.

— Là ! a crié ma sœur en désignant une silhouette qui fuyait par le jardin. Regardez !

Papa, Victoire et moi avons couru à la fenêtre. Casquette vissée sur la tête, manteau écossais orné d'une petite cape ridicule, un homme s'éloignait aussi vite qu'il le pouvait. Ma sœur et moi l'avons tout de suite reconnu.

21
NOS CHERS VOISINS

Vêtu d'un peignoir, papa a saisi un balai qui traînait par là et s'est écrié en enjambant la fenêtre ✳ :

– Au voleur ! Attrapons-le !

Sans hésiter, Victoire et moi l'avons suivi pour courser Nestor Holmes qui, visiblement, n'était pas le plus grand sportif de la planète avec ses bottines

✳ Facile ! Le rebord de la fenêtre des parents est à 1,20 mètre du sol.

en cuir fermées par des dizaines de petits boutons. Arrivé au carrefour, soufflant comme un phoque asthmatique, il s'est arrêté. Accroché à la barrière de nos voisins, le corps plié en deux par l'effort, il s'est mis à injurier ses chaussures.

— Foutues bottines, elles sont trop petites. Je l'avais bien dit à la vendeuse. Elle a insisté, et voilà le résultat !

Plaindre le détective vapoteur n'était pas la priorité de papa.

— Qui êtes-vous ? Rendez-moi ce que vous avez volé ! a-t-il hurlé, postillonnant de colère et brandissant le balai.

— Je m'appelle Nestor Holmes, et pour ce qui est de vous rendre quelque chose qui vous appartient, c'est impossible, a répondu le détective en se déchaussant pour se masser les orteils. Je ne vous ai rien volé. Puisqu'il n'y avait rien à voler !

Mon père ne l'a pas cru une seule seconde.

— Videz vos poches ! Et vite ! a-t-il hurlé.

Le sale type a d'abord haussé les épaules. Puis il a jeté un regard circulaire autour de lui et a annoncé :

— Monsieur Durand, si vous ne posez pas ce balai, je dis à tout le quartier que c'est vous qui m'agressez, alors que j'étais tranquillement en train de me promener.

Purée ! Holmes ne manquait pas de culot ! Il s'introduisait chez nous et c'est lui qui nous menaçait ! Papa en est resté sans voix.

— Je suis venu plusieurs fois dans le coin et j'ai fait connaissance avec la plupart de vos voisins. Regardez ! Le rideau de cette maison aux volets verts, qui vient de se soulever. Monsieur et madame Riplet nous observent, a dit le détective en saluant nos voisins d'un geste ample et d'un large sourire, comme s'ils se connaissaient depuis longtemps et jouaient aux cartes tous les samedis. Savez-vous, Romuald Durand, ce que ce couple pense de vous ?

— Non, a répondu mon père, et pour tout dire, je m'en moque. Je ne m'occupe pas des affaires des autres.

— Eh bien, moi, j'ai discuté avec tout le monde dans le quartier, j'ai enquêté. Ces gens vous prennent pour quelqu'un de loufoque et de dangereux.

— De dangereux ? Moi ? s'est écrié papa ✳.

— Oui, surtout depuis vos essais d'inventions catastrophiques, comme les sacs à dos pour les pigeons, les chaussons lumineux pour se déplacer la nuit sans réveiller ses proches ou la machine à plier et à ranger le linge ! Madame et monsieur Riplet se souviennent encore avec terreur du jour

✳ *D'une poigne de fer, j'ai aussitôt retenu ma sœur, qui voulait bondir sur l'horrible personnage qui accusait notre père. Quand je vous dis que je m'affirme...*

où vous l'avez mise en marche et de l'explosion qui a provoqué des fissures dans leur garage. Ils n'ont pas oublié non plus les pauvres pigeons qui, trop lourds, se sont échoués chez eux, ni les chaussons qui ont brûlé dans votre cabane, provoquant un début d'incendie !

Mince alors, on pouvait dire qu'il s'était bien renseigné !

Puis, de la main, Holmes a désigné la villa d'en face avant d'ajouter :

— Je sais aussi que madame Michalon, la charmante dame qui habite ce coquet pavillon, était près, l'an dernier, d'appeler la police quand votre patinette à vapeur qui se transforme en drone a foncé dans son jardin, massacrant au passage tous ses bégonias.

Papa a encaissé le coup mais n'a pas lâché l'affaire.

– N'importe quoi ! s'est-il exclamé. Je m'entends très bien avec mes voisins ! De quoi vous mêlez-vous ? Allez, hop ! Dans l'abri de jardin, a-t-il ordonné en brandissant toujours son balai. Et plus vite que ça !

– Jamais de la vie, monsieur Durand ! J'ai l'intention de rentrer chez moi soigner mes pieds.

Victoire n'a pas apprécié le ton employé par le détective. Elle a explosé d'un coup :

– Si vous partez sans rendre ce qui appartient à mon père, a-t-elle menacé Holmes, je raconte que vous êtes venu l'autre jour et que vous avez accosté mon petit frère. Je vous ai vu, je rentrais du collège ! Alors, si vous ne voulez pas que je dise à la police et à tout le quartier que vous avez des agissements louches, je vous conseille d'obéir à mon père !

— C'est vrai, ça, Vic, cet homme s'en est pris à Paulo ? a demandé papa, la voix brisée par l'émotion.

Ma sœur a juste baissé les paupières et poussé un petit soupir qui pouvait signifier : « Je suis désolée, Papounet, j'aurais dû te prévenir. » Aussitôt, papa a vu rouge et a foncé sur Holmes en hurlant pour lui casser le balai sur la tête, tandis qu'autour de nous, les fenêtres s'ouvraient et les rideaux se soulevaient. Déjà, madame Michalon avait surgi sur le pas de sa porte.

— Il y a un problème, monsieur Durand ? a-t-elle crié.

Papa n'a pas répondu tout de suite. Sans quitter Holmes des yeux, il lui a dit d'une voix sourde :

— Vous nous suivez, ou je vous écrase les orteils ?

— Vous n'allez pas faire ça, monsieur Durand.

Ni une ni deux, papa a appuyé le manche du balai sur le gros orteil gauche de Holmes, celui qui avait une ampoule.

— Mais vous êtes fou, arrêtez ! a glapi le détective. C'est horrible !

— Vous pensez que je suis mal vu dans le quartier ? Sachez, monsieur Holmes, que même si je suis connu pour certaines de mes inventions, qui ne sont peut-être pas toujours au point, je suis aussi très apprécié de mes voisins. Chaque jour, qu'il vente ou qu'il pleuve, j'apporte le journal à monsieur Pietrik. Chaque année, à Pâques, j'organise pour les enfants des courses aux œufs en brouette électrique. Et je ne vous parle pas de mes poubelles qui disent merci quand on fait le tri sélectif. Tout le monde adore. Alors, vous nous suivez dans l'abri de jardin ou je ruine un peu plus votre orteil avant de demander à madame Michalon d'appeler la police !

— D'accord, d'accord ! On se calme, a capitulé le détective. Mais répondez à cette dame, s'il vous plaît. Et ôtez ce balai de mon pied, par pitié !

— Aucun problème, madame Michalon, nous discutons, c'est tout ! a aussitôt crié papa en faisant un grand sourire à la voisine. Passez une excellente journée !

22
L'HOMME QUI ABANDONNAIT LES CHATS

À l'intérieur de notre cabane, Holmes a vidé ses poches : des pastilles à la menthe, un mouchoir en tissu, une loupe, des tickets de parking et des clés de maison mais pas USB : rien de compromettant. Puis il a retourné la doublure de son manteau pour montrer qu'il était de bonne foi.

— Ça vous va, a-t-il aboyé, vous êtes content ?

Papa n'avait pas l'intention d'en rester là. Il a ordonné :

– Déshabillez-vous, Holmes !

– Quoi ? Vous n'y pensez pas !

– Bien sûr que j'y pense. Exécution ! a hurlé papa, qui venait de lâcher le balai pour s'emparer d'un harpon.

Le détective a compris que l'heure était grave. Il a ôté ses vêtements, sans oublier sa casquette. Victoire et moi les avons palpés les uns après les autres. À la fin, Holmes s'est retrouvé seulement habillé d'un caleçon orné de pingouins.

– Je vous l'avais bien dit, a-t-il annoncé en serrant ses bras autour de son torse maigre et velu. Je n'ai rien qui vous appartienne. Vous devriez vérifier si ce n'est pas quelqu'un d'autre qui a volé cette clé USB. Quelqu'un comme le chat que vous avez récupéré et qui, ceci dit en passant, m'appartient.

– Notre chat, un voleur ? a demandé papa tout en réfléchissant à voix haute. Cet animal est épatant, très intelligent, mais de là à être intéressé par une clé USB, vous perdez la tête. Vous allez aussi me dire qu'il sait se servir d'un ordinateur ? Peut-être communique-t-il sur les réseaux sociaux, tant que vous y êtes ! Franchement, c'est n'importe quoi ! N'est-ce pas, les enfants ?

Victoire et moi nous sommes bien gardés de répondre, et papa en a conclu que nous l'approuvions.

— Nestor Holmes, vous dites que ce chat vous appartient ? a-t-il repris.

— Mais oui, parfaitement. Ce chat était à moi avant que vous l'embarquiez pour l'installer dans le confort médiocre d'un foyer aussi ordinaire que le vôtre. Je souhaite le récupérer.

Papa n'a pas du tout apprécié qu'on le traite de voleur de chat, ni qu'on critique notre famille. Il a lancé au détective un regard aussi noir que du charbon. Un instant, j'ai cru qu'il allait vraiment le harponner. Mais il n'a pas bougé. Il observait maintenant Holmes d'un drôle d'air. C'est alors qu'il s'est exclamé :

— Mais bien sûr ! C'est bien ça ! J'y suis. Ça fait un moment que je cherche, et je sais maintenant pourquoi votre tête me dit quelque chose !

— Ah bon, vous me connaissez ? a répondu Holmes. Il est vrai que je suis assez célèbre !

— Je vous ai vu sur une vidéo.

— Vous avez visionné le petit film qui présente mon agence sur mon site Internet ? Je dois dire que j'en suis assez content.

Le détective affichait un air aussi satisfait qu'un paon qui fait la roue.

— Pas du tout. Je vous ai vu dans une vidéo de sécurité de ma société. On y aperçoit un homme qui balance un chat dans les poubelles. C'est vous, avec votre manteau et votre casquette un peu bizarres !

Vous vous planquiez, la nuit où j'ai trouvé notre matou ! Qu'est-ce que vous fichiez là ?

— J'attendais… que mon chat revienne. Cet animal adore fouiller dans les poubelles. C'est sa marotte, a menti le détective avec un incroyable aplomb.

— Vous me prenez pour un idiot ? a rugi papa. On vous voit larguer de force cette pauvre créature parmi les ordures en lui criant dessus. Qu'est-ce que vous lui avez dit ?

Piteux, Holmes a vite réfléchi. D'une petite voix, il a menti de nouveau :

— J'étais énervé. Je disais à mon chat de ne pas revenir chez moi.

— Et vous venez nous réclamer une pauvre bête que vous avez abandonnée ! Vous ne manquez pas d'air. Alors, sachez une chose, monsieur Holmes : je n'ai pas seulement visionné la vidéo de surveillance de mon entreprise, j'en ai aussi fait faire une copie.

Une grimace de dépit est passée sur le visage du détective. Papa, très en forme, a continué :

— Je peux vous dénoncer auprès des défenseurs de la cause animale. Croyez-moi, ils apprécieront. Alors voilà, c'est très simple : vous allez filer loin d'ici. Et si je vous reprends à rôder autour de notre maison, de mes enfants ou de notre chat, eh bien... voilà ce qui se passera ! a dit papa en appuyant sur la gâchette du fusil des mers.

Pshittt ! Ébahis, nous avons suivi la trajectoire du harpon, qui s'est planté pile à côté du pied de Holmes, à moins d'un dixième de millimètre de son gros orteil droit.

— Mais ça va pas ! Vous êtes fou ! a hurlé le détective.

L'arme posée sur son épaule, un pied en avant, l'allure fière et le regard victorieux, notre père toisait Nestor Holmes, comme le plus grand explorateur du monde venant de terrasser un fauve à l'aide d'un harpon acheté dix-huit euros cinquante aux Sables-d'Olonne l'été dernier. Puis, tandis que le détective paniqué se rhabillait à toute allure, papa lui a lancé :

— La prochaine fois, je ne vous raterai pas. Partez loin et ne revenez pas. C'est ignoble d'abandonner un pauvre chat démuni, un compagnon que vous ne méritez pas, un animal innocent qui savoure la tranquillité et l'affection d'une famille aimante.

Nestor Holmes n'a pas tenté d'ajouter quoi que ce soit pour sa défense. Sans demander son reste, la casquette de travers, pieds nus dans ses bottines, il a filé en boitant, avant de marcher sur l'un de ses lacets et de s'étaler sur le trottoir. Nous l'avons entendu jurer, puis il s'est redressé. Claudiquant, chaussures à la main, il a disparu de notre vue. J'ai espéré de toutes mes forces que c'était pour toujours.

23

L'ÉPATANT MATOU WATSON

Quand nous sommes retournés dans la maison, Victoire et moi sommes partis à la recherche de Matou Watson. Nous avons fini par le retrouver au salon. Retenant son souffle, accroché par ses quatre pattes aux pieds du canapé, dix centimètres au-dessus du sol, il faisait la carpette extra plate. Dès que nous lui avons dit que Nestor Holmes était parti, il s'est laissé tomber sur le plancher, a lâché tout l'air contenu dans ses poumons, a rampé jusqu'au tapis où il s'est écroulé.

— Vous avez retrouvé la clé USB ? a-t-il demandé après avoir repris ses esprits et s'être ébroué.

— Non, a répondu Victoire. C'est pas toi qui l'as volée ?

— Mais pas du tout. C'est Holmes, le voleur !

— Il n'avait rien sur lui. Mais la bonne nouvelle, c'est qu'il est définitivement parti.

— Définitivement ? C'est plus difficile de se débarrasser de Nestor Holmes que d'un chewing-gum collé dans les poils d'un chat persan. Comment avez-vous fait ? Vous en êtes sûrs ?

— Certains ! Holmes n'est pas près de venir te récupérer. Ici, tu es en sécurité.

— Promis ? a demandé notre chat.

Il avait l'air si soulagé que ça le rendait presque touchant.

— Juré ! a répondu ma sœur avant de durcir le ton. Alors maintenant, à toi de remplir ton contrat. Tu écris pour Paulo sa poésie de l'amour qui tue et tu fais tout pour que Linette Lavallon soit raide dingue de lui. Après, nous serons quittes.

Matou Watson a écouté ma sœur sans discuter, sans l'interrompre, sans marchander. À mon avis, il réfléchissait encore à tout ce qui s'était passé. Il se demandait sans doute si Nestor Holmes était sorti de sa vie pour de bon. Puis, l'œil en coin, accoudé à la table du salon, il m'a observé comme s'il ne m'avait jamais vu.

— OK. Je m'occupe de la poésie, a-t-il dit à ma sœur sans me quitter des yeux un seul instant.

Rassurée, Victoire a foncé aider papa.

— Et donc, c'est vrai, vous n'avez pas retrouvé la clé ? m'a-t-il demandé dès que nous avons été seuls.

Bouche cousue, je soutenais son regard noir comme du goudron avec la ferme intention de ne pas baisser les paupières une seule fois, quand le chat m'a ordonné :

– Avoue, Paulo !

– Avoue quoi ?

– Avoue que c'est toi qui l'as.

Surtout, ne pas avouer. Surtout, faire celui qui est sûr de lui. Et surtout, ne pas flancher face à ce fourbe de Watson qui, dès qu'il connaîtra la vérité, refusera de m'aider pour la poésie. Respirer, me suis-je répété. Tu dois respirer profondément avant de parler. Trois fois au moins. Il ne faut pas que ta voix tremble. C'est lui qui te l'a appris. Sinon il va s'apercevoir qu'il y a un problème. Je me suis concentré de toutes mes forces et, avec un air que je souhaitais le plus naturel possible, j'ai entrepris d'observer mes ongles comme si la tâche la plus importante à cet instant était de les couper.

— Je ne vois pas de quoi tu parles, lui ai-je répondu au bout d'un moment.

Mais Watson a commencé à tourner autour de moi comme un Indien autour d'un totem. Puis il a fait un drôle de truc. Il s'est mis à me renifler de la tête aux pieds. Oui, vous avez bien lu. Il me reniflait. C'était archi gênant, super désagréable, mais je n'ai rien dit et je suis resté parfaitement immobile. Je me demandais juste à quoi pouvait ressembler l'odeur d'une clé USB. Je l'ignorais, mais pas notre chat. Tout à coup, il s'est arrêté. Ses moustaches ont frémi et d'un geste agile, rapide et précis, il a plongé une de ses pattes dans la poche arrière de mon jean à trous et a brandi la clé.

— Je me disais bien que ça ne pouvait être que toi ! a-t-il fanfaronné. Alors, Paulo, on ment à son papa maintenant ?

Une chose était certaine : je n'ai pas aimé cette remarque de la part de notre chat alors que quelques heures auparavant, prétextant d'aller faire un tour aux toilettes, j'avais « emprunté » la clé de Papounet pour une seule raison : qu'on ne la lui vole pas. Bien sûr, j'avais été dépassé par les événements. Mais je devais me rendre à l'évidence : une fois de plus, Matou Watson avait été malin. Il avait découvert la vérité avant que je ne remette l'objet dans la poche de la veste de papa. Purée ! J'étais en colère, surtout quand, la clé USB dans sa gueule, ce fayot est allé miauler ✳ dans les jambes de papa et a lâché la clé. Aussitôt, mon père a poussé un énorme cri. Fou de joie, archi reconnaissant, il n'arrêtait plus de féliciter Matou et de le caresser. Quand il m'a vu, il s'est écrié :

✳ Oui, miauler ! Quelle honte ! Vous ne trouvez pas ?

— Ce chat est épatant, Paulo ! Il a un flair incroyable, il a trouvé la clé ! Bravo, mon petit Matou chéri, bravo ! Tu es super génial !

Non mais, au secours ! Que quelqu'un me pince ! Qu'on me réveille de ce cauchemar !

24
LA BROSSE À DENTS DU FUTUR

Dès le lendemain, depuis la cuisine, nous est parvenu le vacarme assourdissant des machines de papa. Dans le garage, il travaillait d'arrache-pied à mettre au point le prototype de la brosse à dents du futur. Pendant ce temps, Watson avait repris sa place favorite parmi les moelleux coussins du canapé. J'ai très vite compris que ce menteur n'avait pas du tout l'intention d'écrire une poésie pour Linette Lavallon. Débarrassé de Nestor Holmes, il ne craignait plus rien et se fichait bien de m'aider ✳. J'ai donc décidé de me débrouiller tout seul. Très vite, je me suis dit que ce qui serait super (en plus de lui écrire un joli poème), ce serait d'inviter mon amoureuse à un goûter que je confectionnerais spécialement pour elle. J'ai commencé à rédiger une liste de toutes les douceurs que j'allais préparer pour celle qui allait enfin m'aimer ! J'ai pensé que ce serait fantastique si toutes ces bonnes choses évoquaient le mot « amour ». Mais après les pommes d'amour, j'ai eu beau me creuser la tête, je n'ai rien trouvé. Ce qui était ennuyeux parce qu'une seule recette, ça ne constituait pas une liste. J'ai demandé à maman si elle pouvait me prêter son ordi pour que je me documente.

— D'accord, Paulo, mais pas deux heures, m'a-t-elle répondu en haussant la voix pour couvrir le bruit que

✳ En plus, je n'avais plus d'argent pour lui acheter des boîtes Gourmette trois étoiles.

faisait mon père. Je vais étendre le linge, et quand je reviens, tu as fini. Promis ?

Inutile de dire que je me suis dépêché. C'était dingue tout ce qu'il y avait comme recettes de gâteaux ! J'ai commencé par chercher comment on cuisine des pommes d'amour sur un site de pâtisseries. Puis j'ai regardé d'autres recettes que je ne réaliserais jamais, comme celle des puits d'amour (jolis, mais trop compliqués !) ou le gâteau tourment d'amour, qui faisait rêver mais demandait des tas d'ingrédients que nous n'avions pas. Ensuite, j'ai cliqué sur les petites photos de la colonne de droite, pour aboutir sur un site de cuisine des cinq continents. J'ai appris que quelque part dans le monde, des gens mangeaient des sauterelles grillées. Incroyable ! Ils les grignotaient sans faire la grimace, comme lorsque nous nous gavons de chips parfum bacon. J'ai aussi découvert, en cliquant sur un nouveau lien, que si on ne faisait rien contre le réchauffement climatique, les ours allaient bientôt venir fouiller dans nos poubelles. Ensuite, j'ai regardé deux vidéos super rigolotes de chiens qui faisaient du ski et le clip d'un rappeur qui avait une touffe de cheveux rouges sur le haut du crâne et des lunettes énormes ornées de strass *. Après ça, j'ai fait quelques parties d'un jeu qui me demandait d'empiler un maximum de briques, tout en évitant celles qui dégringolaient du ciel. J'allais recommencer quand je suis tombé sur des vidéos de chats super mignons, trop drôles. Et pile à l'instant où je me disais que je pourrais, moi aussi, faire un petit film pour me moquer de Matou Watson, papa est entré dans la cuisine, maman est revenue de la

* Je me suis demandé si ce genre de coiffure et d'accessoire m'avantagerait mais très vite, je me suis dit que non: Linette Lavallon devait préférer les garçons moins excentriques.

buanderie, Victoire est descendue de sa chambre et cet hypocrite de Watson a rappliqué. Inutile de vous dire que j'ai fermé toutes les fenêtres de l'ordi d'un coup.

— Regardez, mes chéris ! s'est écrié Papounet en brandissant son prototype. Regardez bien ! Voici la brosse à dents qui va révolutionner la vie des gens !

Impatients, attentifs, nous nous sommes regroupés autour de lui. Sous nos yeux émerveillés, tandis que nous retenions notre respiration, papa a appuyé sur le bouton. Bam ! Les murs ont tremblé, le lustre a vibré, et plusieurs cadres se sont détachés des murs. Résultat : papa, le visage noirci, les yeux hagards, fixait sa brosse à dents du futur, qui était désormais celle du passé.

— Chéri ! s'est inquiétée maman, qui, comme nous tous, avait le visage recouvert de traces noires. Ça va ?

Bon, papa était encore sonné quand nous l'avons installé sur une chaise, mais ça n'avait pas l'air trop grave. Visiblement un peu déçu, il a regardé son prototype, qui fumait toujours, et nous a dit :

— Ne vous en faites pas, ce n'est rien, je vais recommencer. J'ai juste quelques petits réglages à effectuer. Trois fois rien !

— Romuald Durand, fais bien attention, tu pourrais te faire mal, a dit maman, l'air inquiet. Il ne faudrait pas que tu fasses sauter le garage et la maison. Mais... mais où est le chat ?

Nous n'avons pas eu à chercher bien loin. Matou Watson, au bruit de l'explosion, avait pris la poudre d'escampette. Victoire et moi l'avons retrouvé derrière le réfrigérateur, en mode ultra plat. En silence, j'ai fait signe à ma sœur pour qu'elle me passe son portable. Tandis qu'elle se retenait de glousser, elle me l'a prêté sans faire d'histoires.

J'ai filmé Matou Watson faisant la crêpe, retenant son souffle derrière le frigo. Dès qu'il s'en est aperçu, l'air furieux, la moustache de travers, il a grogné :

— Arrête de filmer, Paulo. Je te l'interdis.

Évidemment, j'ai continué. Matou Watson était trop drôle. À mon avis, j'allais faire le buzz sur le Net, avec ma vidéo de chat. Sauf si, bien sûr, il m'écrivait enfin une poésie d'amour qui tue.

ÉPILOGUE

J'imagine que vous vous demandez tous si Linette Lavallon est tombée raide dingue de moi et si, grâce à la brosse à dents du futur, nous sommes devenus une famille méga riche habitant une maison de quarante-huit pièces, avec piscine à remous (qui fonctionne), climatiseurs partout (même dans les toilettes), minigolf et terrain de skateboard ? Eh bien, je dirais que les nouvelles ne sont pas mauvaises, mais que la situation n'est pas parfaite non plus.

Papa n'a pas encore réussi à mettre au point *la* brosse à dents du futur, mais il est sur la bonne voie. On lui a juste dit que son projet était «intéressant» et «gagnerait à être amélioré». On lui a aussi fortement conseillé de suivre une formation «sécurité». Il faut dire que quand il a appuyé sur le bouton devant ses patrons, le dentifrice contenu dans le manche a giclé aux quatre coins de la pièce et surtout sur le costume sombre, la cravate en soie et les lunettes du grand chef. Depuis, Papounet travaille sans relâche tous les week-ends, afin de finaliser sa brosse à dents qui révolutionnera un jour, il en est certain, toutes les salles de bains du monde.

Pour ce qui est de mes amours, Matou Watson a fini par m'écrire une poésie sans faire trop d'histoires et surtout sans rien me demander (à part de ne pas diffuser la vidéo où on le voyait faire la crêpe derrière le frigo). J'étais aussi étonné que ravi. Mais en la lisant, j'ai déchanté. Le chat y parlait d'un garçon moyen, moyen, qui était assez nullos à l'école et n'avait pas du tout confiance en lui. Tous les super doués de la classe, style Léo Deluitre, se moquaient de lui. Heureusement, ce garçon très amoureux mais aussi très ennuyeux avait un chat remarquable, épatant, merveilleux, extraordinaire, qui le sauvait de tout. Inutile de vous dire que je ne n'ai pas envoyé ce poème à Linette Lavallon ✳. Alors, me répondrez-vous, cher Paulo, comment as-tu fait ? Eh bien, j'ai fouillé dans mes cahiers d'écolier, j'ai retrouvé un acrostiche écrit pour la fête des Mères avec le mot *maman*, et hop ! j'ai appliqué la technique avec le nom de mon amoureuse chérie. Ce qui a donné :

✳ Même si, il faut le reconnaître, il était plutôt bien écrit.

L'amour a frappé à la porte de ma maison ce matin,

Il a fait toc toc, est entré et m'a tendu les deux mains,

Ne l'entends-tu pas crier ton nom depuis la salle

de bains ?

Ecoute comme il t'appelle, ma jolie Linette,

Toi que j'aime, que je chéris, si belle, si chouette,

Toi dont j'admire les frisettes, donne-moi un baiser

Et nous partagerons un délicieux goûter.

Puis j'ai ajouté ce mot : *Tu peux venir demain*
à partir de seize heures. Appuie bien fort
sur notre sonnette à énergie solaire, qui ne
fonctionne pas toujours très bien.

Je ne sais pas ce que vous en pensez, mais j'étais assez fier du résultat. Sans ratures, sans taches, j'avais écrit mon poème sur un papier beige dont j'ai brûlé le pourtour façon parchemin, et dès la rentrée, ému et tremblant, je l'ai donné à mon amoureuse, à la récré. Purée ! Mon cœur battait à dix mille tandis que j'attendais la réponse de ma Linette. Eh bien, vous savez quoi ? Après avoir lu le poème devant moi, elle a souri, m'a regardé de ses grands yeux océan et m'a dit : « Volontiers, Paulo ! À demain seize heures, mes parents devraient être d'accord. » Volontiers ! Volontiers ! Vous vous rendez compte comment s'exprime ma chérie ? Elle ne dit pas « Ouais » ou « Oui », elle dit « Volontiers ». J'adore !

Quand je suis rentré à la maison, j'étais fou de joie. J'aurais bien aimé inventer un gâteau d'amour, mais maman m'a dit qu'elle n'était pas une créatrice comme papa et qu'elle préférait s'en tenir à une recette plus simple.

— Les meilleurs gâteaux d'amour, m'a-t-elle dit, sont ceux qui sont faits avec le cœur.

Alors nous avons confectionné un gâteau délicieux qui s'appelle un quatre-quarts, parce qu'il faut mélanger les mêmes quantités de farine, de beurre, de sucre et d'œufs. Elle n'avait pas tort. Le lendemain, quand Linette est arrivée, tout était prêt, et la maison sentait bon le sucre et le beurre. Après avoir joué dans le jardin, nous avons goûté. Mon amoureuse a trouvé le gâteau « dé-li-cieux ». Elle en a même « vo-lon-tiers » repris. C'était une journée magique. Linette Lavallon est la fille que j'aimerai toute ma vie. J'adore ses mains délicates, ses adorables chaussures vernies, sa façon d'attacher ses cheveux avec un ruban. J'adore aussi quand elle me regarde. J'adore sa voix, j'adore son sourire. Tout ce qu'elle dit est super passionnant, méga intelligent. Oui, j'ai tout aimé dans cette journée. Sauf une chose. Quand Linette a vu Matou Watson avachi sur le canapé, elle l'a contemplé un long moment. Il a fini par ouvrir les yeux et lui a fait

un clin d'œil. Oui, oui, vous avez bien lu. Ce fourbe

lui a fait un clin d'œil. Et ce n'est pas tout. Sans quitter

du regard ma Linette, il a porté sa patte droite à sa

gueule. Puis, dans un geste gracieux et délicat, il

a soufflé un baiser en direction de celle que j'aime.

Alors, émue et troublée, elle s'est tournée vers moi

et a murmuré à mon oreille :

— Il est vraiment étonnant, ton matou, Paulo. Tu as

vu ce qu'il vient de faire ? Il s'appelle comment ?

Tu crois qu'on pourrait jouer avec lui ?

→ L'AUTRICE ←

Depuis 2000, Claudine Aubrun écrit des histoires qui font rire ou qui font peur. Quand elle étudiait aux Beaux-Arts de Toulouse, elle écrivait. Depuis qu'elle publie des ouvrages chez différents éditeurs, elle croque ses contemporains et illustre des histoires. Autrice de nombreux textes pour la jeunesse, de polars, d'albums, et de plusieurs romans graphiques, elle partage son temps entre Paris et son Sud-Ouest natal.

Son site : www.claudine-aubrun.fr

Son blog : http://claudineaubrun.blogspot.fr

DE LA MÊME AUTRICE, AUX ÉDITIONS SYROS

Dans la collection Mini Syros Polar :

Qui a volé la main de Charles Perrault ?

Qui veut barbouiller Picasso ?

Qui a fouillé chez les Wisigoths ?

Qui a volé l'assiette de François Ier ?

Qui a démonté la tour Eiffel ?

Qui a cassé le miroir du Roi-Soleil ?

Qui a découvert la dame à la Licorne ?

Dans la collection Mini Syros Romans :

Le Garçon rose Malabar

Dans la collection Souris noire :

Pour quelques grammes d'or

Dans la collection Tip Tongue (avec Stéphanie Benson) **:**

Jeanne et le London Mystery

Jeanne et le Fake London Manuscript

Valentin et les Scottish Secret Agents

Moi, détective in London

Mon aventure in green

Karaoké in London

Claudine Aubrun
parle de OZ

• Pourquoi as-tu eu envie d'écrire pour les lectrices et lecteurs de 8-12 ans ?

Quand j'écris une histoire, je ne pense pas au lecteur en termes d'âge mais plutôt en termes de préoccupations, d'intérêts. Qu'aime-t-il dans la vie ? Quelle musique écoute-t-il ? Quels sont les jeux, les personnages qu'il apprécie ?... Pour moi, le lecteur n'a pas d'âge. Je ne sais ni s'il est un garçon ou une fille, ni où il habite et comment il vit. Mais je pense beaucoup à lui quand j'écris. Je sais que mon lecteur est intelligent, malin, et même qu'il va percevoir des choses que parfois je ne mesure pas. Tout au long de l'écriture, je me demande si ce que je lui propose captera son attention. Va-t-il avoir peur ? Va-t-il rigoler ? Le mot que j'ai choisi est-il juste ? L'image est-elle assez forte ? Le style est-il assez limpide sans être creux ? La situation est-elle en rapport avec ses préoccupations ? Souvent, les adultes me disent qu'ils ne se sont pas ennuyés en lisant mes livres. J'ai envie de croire que c'est parce que le lecteur que j'essaie de capter n'a pas d'âge (peut-être aussi sont-ils seulement polis).

• Que t'inspire le nom de la collection OZ ?

Oz ? Le magicien bien sûr, mais j'entends surtout « oser », ce qui m'a grandement encouragée à forcer le trait, à traiter mes personnages d'une façon plus musclée.

• Comment est né le personnage de Matou Watson ?

Je ne suis pas fan des univers où tout est magie. Par contre, je suis adepte des histoires ancrées dans un quotidien ordinaire et qui vrillent à cause d'un élément en apparence anodin. Ici, il s'agit de l'arrivée d'un chat dans une famille. Quoi de plus banal ? Un chien peut-être, mais j'avais déjà utilisé un personnage de chien dans d'autres histoires.

• Quelles sont les forces et les faiblesses de Matou Watson ?

Matou Watson n'est pas un gentil matou à câliner. Il parle et, en plus, il répond. Il sait tout, a un avis sur tout, il est vénal, baratineur, et s'avère être une véritable terreur pour les souris, qu'il mange comme des M&M's. Bien sûr, il a des faiblesses, ce qui le rend humain. Face à l'adversité, Matou Watson est lâche, peureux, faible parfois.

• Comment fais-tu pour créer des situations comiques ?

D'abord, je mets en scène des personnages opposés (ici, un garçon rêveur et timide associé à un chat arrogant et sûr de lui), ce qui créera d'emblée des situations absurdes ou cocasses. Je travaille beaucoup les personnages, leurs expressions, leur façon d'être. Il faut que le lecteur puisse « voir » les protagonistes, qu'il les identifie rapidement et se reconnaisse en eux. Je réfléchis beaucoup à ce qu'est leur moteur dans la vie. J'alterne aussi des passages émouvants ou tendus avec des situations potaches. La distance entre les deux amplifie l'effet comique.

• L'humour rend-il les lecteurs plus forts ?

Je crois à la subversion du rire, cela aide à supporter un monde parfois cruel. Je ne sais pas si l'humour rend plus fort, mais je pense qu'il met le malheur à distance.

• Que dirais-tu à un enfant pour lui donner envie de lire ton roman OZ ?

Si dans la vie tu es un garçon ou une fille qu'on ne calcule pas,

Si ton amoureux ou ton amoureuse t'ignore et te préfère un (ou une) boloss de la classe,

Si ta mamy Nicole est injuste envers toi,

Si tu as envie de ne plus passer pour un (ou une) minus,

Si tu souhaites écrire une magnifique poésie pour ton amoureuse ou ton amoureux sans trop te fatiguer,

Si tu veux connaître la recette du gâteau quatre-quarts,

Si tu as envie de découvrir les astuces d'un super coach qui t'aidera à avoir confiance en toi,

Si les livres qui disent qu'il faut manger cinq fruits et légumes par jour t'ennuient,

Si ton chat parle et répond, s'il est prétentieux et pense avoir toujours raison, s'il veut se faire payer pour ses services,

Si tu as envie d'être plus fort que Matou Watson,

Et surtout, si tu as envie de te marrer,

Alors *La brosse à dents du futur*, la première aventure de *Matou Watson*, est un livre pour toi.

Dans la collection OZ

Aventures bourrées de fantaisie et d'humour, pouvoirs qui font rêver, drôles de créatures magiques, mondes merveilleux de l'enfance...

Ethan et Orion

Sylvie Allouche
Illustrations de Alexandra Huard

Ethan s'est enfui de l'orphelinat. À bout de forces, il s'endort dans un bois, sous les branches griffues des grands arbres. Il se réveille enveloppé d'une douce chaleur. C'est Orion, un cheval blanc, qui est venu le réchauffer. Il lui dit : « N'aie pas peur. » Comment ? Un cheval qui parle ? « Je ne parle pas, mais tu m'entends, c'est un don très rare... »

La merveilleuse rencontre entre un enfant et un cheval, tous deux seuls au monde, qui se parlent et se comprennent. Pour rêver et vibrer sans limite !

Série Matou Watson
– *La brosse à dents du futur*

Claudine Aubrun
Illustrations de Claudine Aubrun

Quand Matou Watson a été recueilli par la famille Durand, il ressemblait à un petit chat apeuré et attendrissant.
Mais Paul et sa sœur Victoire vont bien vite découvrir :
1- qu'il comprend tout et qu'il sait parler,
2- qu'il a un fichu caractère,
3- qu'il peut leur donner de précieux conseils !

Vous aimeriez : avoir confiance en vous ? devenir populaire ? obtenir de très bonnes notes ? Matou Watson, à votre service ! Un roman addictif 100 % humour !!!

tu vas adorer !

Série Mystères à Minuit
– La ville la plus hantée du monde

Camille Brissot
Illustrations de Glen Chapron

Minuit est la ville la plus hantée du monde. Mais un seul habitant voit les fantômes pour de vrai ! Il s'appelle Victor et il a 12 ans. Lui et son ami fantôme Balti (12 ans aussi, mais depuis des siècles) proposent leurs services de chasseurs de mystères… Pour les trouver, rendez-vous dans la cour du collège, sur le banc près de l'Arbre à foudre. Si vous l'osez !

Bienvenue à Minuit, 3 500 habitants, 736 fantômes !!! Mais pour les voir, il ne suffit pas d'y croire… Humour et frissons garantis.

9 782748 527070

Cornichonx

Yves Grevet
Illustrations de Benoît Audé

Angélina a deux problèmes : 1- elle est la plus petite de sa classe ; 2- ses parents sont super sympas, mais ils passent tout leur temps à s'amuser et à rigoler, impossible d'avoir une discussion sérieuse avec eux. Une nuit, des voix mystérieuses attirent Angélina dans la cuisine. Il semblerait qu'un petit bocal de cornichons puisse l'aider… Enfin, de cornichonx !

Et si un bocal de cornichons pouvait répondre à toutes vos questions ? Croquez et demandez ! Humour et émotion sans modération.

9 782748 527094

numéro éditeur : 10262156